La Côte sauvage

Après deux ans de service militaire, Olivier revient passer ses vacances dans la maison de famille bretonne, où l'attendent sa mère et ses deux sœurs. La plus jeune, Anne, à laquelle il est tendrement attaché depuis l'enfance, lui apprend qu'elle va épouser Pierre, le meilleur ami d'Olivier. Quand Pierre les rejoint en Bretagne, Olivier, sacrifiant leur amitié, va tenter d'empêcher le mariage ; il décourage sa sœur, inquiète et humilie Pierre. Pourquoi veut-il que sa sœur Anne reste auprès de lui ? Est-ce un amour qui n'ose pas dire son nom ? Est-ce la recherche d'un refuge pour préserver les souvenirs de son enfance et les illusions de son imagination ? Cette passion pour sa sœur n'est-elle qu'un prétexte à satisfaire l'étrange attachement qu'il a pour la souffrance ? Olivier arrivera-t-il à changer comme la saison et à redécouvrir l'autre versant de sa vie ? Il est capable de tout, silencieusement, même de se tuer et le paysage doux, de brume et de soleil voilé, ne serait-il plus que le cadre ultime de sa vie ?

Jean-René Huguenin est né à Paris en 1936. Etudiant à sciences-po, il collabore régulièrement au journal Arts. En 1960, il publie la Côte sauvage. Il meurt dans un accident de voiture en 1962 : il a 26 ans. Son Journal sera publié après sa mort avec une préface de François Mauriac.

Du même auteur

Jean-René Huguenin

La Côte
sauvage

roman

Editions du Seuil

EN COUVERTURE : illustration Rozier-Gaudriault

ISBN 2-02-005413-2
(ISBN 2-02-000947-1, 1ʳᵉ publication)

© ÉDITIONS DU SEUIL, 1960

I

Il s'est approché dans le soir sans qu'elle l'entende, et il s'arrête à quelques pas, retenant son souffle. Soudain elle se retourne; il se glisse derrière un chêne. Il ne voit d'elle que son visage dans l'ombre — et tout autour les taches bleues des fleurs. Il saisit son briquet, tend la main devant l'arbre: la flamme vacille un instant, s'éteint.

— Qui est là... dit-elle lentement.

Immobile, le briquet à la main, il ne respire plus. Mais lorsque sa sœur avance vers l'arbre, sur la pointe des pieds, la tête inclinée (ses cheveux noirs dénoués tombent le long de son buste), il sourit.

— Anne...

— Anne!

Le même appel, au même instant, s'était échappé de la maison, elle n'entendit qu'Olivier. Elle s'arrêta secouant la tête, comme si elle ne le reconnaissait pas; aussitôt elle fut dans ses bras, et sans parler il la berça contre lui, respirant l'odeur de ses cheveux, une odeur d'amande.

— Tu as eu peur, dit-il tendrement, tu as eu peur, Anne?

Un hibou s'envola, quelque chose dégringola de branche en branche mais ne toucha pas le sol. Olivier frissonna; ils se séparèrent.

— Comment es-tu venu? Je n'ai pas entendu l'auto.

— Je l'ai laissée sur la route.

Le bruit étouffé de leurs pas sur le sable de l'allée, au bout la barrière blanche dont il entendait déjà trembler le battant; le chemin entre les arbres, le calvaire au croisement de la route... Une portière de la voiture était encore ouverte.

— Maman pensait que tu arriverais demain.

— Et toi?

— Moi je ne savais pas...

Il alluma le plafonnier, se pencha vers elle, l'enveloppa d'un regard délicat et froid.

— Tu dois être fatigué, dit-elle. Tu es parti de Paris ce matin?

— Je me sens bien.

Ses yeux ne la quittaient pas. Elle tourna brusquement la tête:

— Tu n'as pas changé, tu sais...

— Et toi?

— Pierre arrive dans trois jours. Il a dû te l'écrire?

Sans répondre, il démarre. Un sourire nerveux fait frémir ses lèvres, tandis qu'il regarde surgir le vieux puits, le pigeonnier couvert de lierre, la tourelle étouffée de vigne vierge, et grandir sur la façade, s'épanouir et chavirer une ombre immense, debout en haut des marches du perron, les bras en croix sous les phares.

— Ce que maman doit être contente...

8

Olivier relève sa mèche brune d'un geste las, et descend. Madame Aldrouze reste immobile au-dessus de lui; un peu de vent fait onduler les pans d'une robe de chambre rouge autour de son corps décharné, et bouger lentement derrière elle, dans le vestibule, des ombres. Un peu plus haut, juste au-dessus de la porte, des insectes, des papillons tintent contre l'ampoule et son abat-jour de faïence. Il lève les yeux jusqu'au premier étage; entre deux volets, la tête de Berthe disparaît. Maintenant, les bras tendus en arrière (la clé de contact pend de sa main droite), il respire une odeur de poussière, de sueur froide; une peau lâche, usée, glisse sous ses lèvres, et quand sa mère l'embrasse à son tour il reconnaît le picotement rêche des poils de son grain de beauté.

— Quelle surprise!

Il doit la frôler pour entrer; il la sent vaciller doucement à son passage; il s'éloigne dans le vestibule, regarde lentement les murs, la lanterne en fer forgé, le porte-canne toujours vide, la statue en bois de Saint-Jacques de Compostelle, grandeur nature, avec son feutre et son bâton de pèlerin — tous ces objets qui l'ont attendu sans bouger, qui ne bougeront jamais, qui ne lui feront même pas l'infidélité de mourir... « Tu as fait bon voyage? Mon grand... tu as fait bon voyage...? » C'est là, sous l'escalier de pierre, dans cet angle noir, ce repaire poussiéreux de toutes les araignées du manoir, c'est là qu'il retrouvait Anne chaque fois qu'ils jouaient à cache-cache, et durant toute son enfance jamais elle ne changea de cachette, elle craignait trop qu'il ne la trouvât point. Il faisait exprès de passer plusieurs fois devant elle sans la voir, l'entendait souf-

fler dans l'ombre, s'éloignait, l'appelait, l'appelait, revenait vers l'escalier, se penchait sous la rampe... et tout
à coup elle était contre lui, cachée de nouveau, mais
cachée dans ses bras.

— Tiens, tu es arrivé?

— Berthe, ma chérie, dit Madame Aldrouze, tu devrais mettre un chandail, tu vas prendre froid.

— Tu n'as pas entendu la voiture?

— Non, je cousais.

— C'est étrange, j'ai vu ta tête à la fenêtre.

Immobile au tournant de l'escalier, lèvres serrées,
rectilignes, Berthe baisse les yeux sur son frère, rougit.
Elle descend les dernières marches et s'arrête à deux
pas de lui.

— Je n'ai pas fait attention... Tu repars quand?

— Mais je ne repars pas.

Il sourit; des piqûres de moustique gonflent les chevilles de Berthe. « Anne te prépare à dîner » dit
Madame Aldrouze.

— Tu as bonne mine, Berthe.

— Cela fait trois nuits que je ne dors pas.

— Je trouve que tu as bonne mine, Berthe, répète-
t-il en avançant la main — et, du bout des doigts, il
lui touche le front.

Elle rejette en arrière sa large figure; de biais, très
vite, elle le regarde.

— Tu laisses maman porter tes valises maintenant?

Il rejoint sa mère dans l'escalier, prend les valises;
sur le seuil de sa chambre il se retourne, dit d'une voix
douce:

« Attends un moment; je voudrais rester seul un
moment » et lui ferme la porte aux yeux.

— Maman! crie Berthe d'en bas. Tu ne redescends pas?

Il pose ses valises au pied de son lit, traverse la pièce et ouvre la fenêtre; il aperçoit au passage un reflet sur le mur, au-dessus de la cheminée, mais il n'y prend pas garde — ou peut-être ne le reconnaît-il qu'un instant pour l'oublier aussitôt. La nuit sent la mer; haie tachetée de liserons, petites dents noires des sapins; au-dessus de la colline le ciel est clair; le toit d'une ferme soudain brille; il entend frissonner les fusains, sa mèche se soulève, les cimes des sapins oscillent; puis tout s'évanouit. A cette même fenêtre, durant d'autres vacances, il était resté des heures à l'affût, le soir... les oiseaux se taisaient tout à coup; le vent tombait, les fleurs plus parfumées... Un peu plus tard Anne revenait entre les chênes, il ne pouvait pas la voir car sa chambre donnait sur l'autre côté du parc, mais il entendait chanter la barrière et, de plus en plus proche, le tintement de la boîte à lait; elle marchait de l'autre côté de la maison, tête baissée, solitaire, sa tresse battant sa nuque, de l'autre côté — invisible... — venant d'une mer immobile avec un bateau aux cheminées rouges posé à l'horizon peut-être, tandis qu'il restait sans bouger à sa fenêtre, face à l'arrière-pays, écoutant de toutes ses forces, et le visage de marbre. Un soir il attendit en vain; il se précipita en bas; elle avait rapporté le lait dans des bouteilles.

Il se retourne, caresse le dos d'un fauteuil vert. Plus jeune, parfois, il s'enfonçait la tête dans le coussin et l'y maintenait des deux mains, jusqu'à étouffer. Dans cette bonbonnière de porcelaine, il y avait autrefois des bonbons rouges que l'on appelait des coquelicots — et

11

aujourd'hui : un sifflet, un tube d'aspirine vide, une cigarette jaunie, une pièce de cinq francs. Il porte la cigarette à ses lèvres, allume son briquet, relève la tête : un visage regarde le sien.

Il bondit en arrière, le rideau de la fenêtre bouge, le visage aussitôt s'éteint.

— Pourquoi a-t-on mis cette glace dans ma chambre ?

Sa mère se retourne si brusquement quand il ouvre la porte, que son peignoir s'entrouvre.

— Ce n'est pas moi, Olivier ! Tu peux être sûr, je connais tes manies.

— Alors c'est Berthe.

— Olivier ! crie Anne. Ton dîner est prêt !

— Mon Dieu, vous n'allez pas recommencer...

— Recommencer quoi ?

Ils descendirent les marches du perron, lentement, côte à côte, du même pas lent, et ils suivirent l'allée jusqu'à la barrière blanche, plus petits à chaque pas, plus lointains — les vieux chênes semblaient grandir à mesure qu'ils s'éloignaient, et la nuit s'épaissir, confondre, les ensevelir enfin tout à fait. Ils ne se donnaient pas la main. Ils ne se parlaient pas, mais leurs deux visages paraissaient écouter — et c'était peut-être le reflet de la lune qui leur donnait ce demi-sourire, cette expression d'attente radieuse. La nuit les guettait de ses bruits — halètement lointain de la mer, craquement d'une branche, brusque envolée d'un oiseau, là-

12

bas, vers la lande, et surtout la sonnerie étouffée, clignotante des grillons.

Soudain Anne trébucha sur une pierre, il prit dans la sienne la petite main lissée par le soleil, sans la serrer, comme on prend la main d'un enfant ; elle glissait doucement dans sa paume.

Il ne pensait pas à Anne : elle était là, elle marchait à côté de lui dans la nuit, elle était la nuit. Il se souvenait d'autres nuits — les nuits de la guerre avec leur odeur de cave, leur étroit corridor étayé de planches comme une galerie de mine, le grattement précipité des rats, ces nuits où il descendait avec elle, lui tenant la main comme cette nuit, tous deux calmes, loin derrière leur mère et la peur de Berthe, tandis que la sirène descendait en chantant derrière eux ; Anne se blottissait contre lui, ils n'entendaient pas les explosions — seule la lampe tempête accrochée au plafond s'ébranlait tout à coup, oscillait lentement. Puis la sirène chantait encore et leur ouvrait des lits glacés.

Ils passèrent devant le calvaire ; la lune crissait sur le granit de la croix. Puis ils s'engagèrent sur la route, parurent glisser entre les berges d'ajoncs, le long de leurs fleurs claires, vers la mer.

— Berthe ne l'a pas fait exprès, dit Anne d'une voix si triste qu'Olivier la regarda (mais elle ne tourna pas la tête). Je ne devrais pas te le dire... Quand nous avons su la date de ton retour, elle a acheté un calendrier — elle qui n'a jamais d'agenda, même pas de montre — et je sais que tous les jours, tous les soirs, elle en arrachait une page avant de se coucher.

— Naturellement... elle n'a rien à faire.

Il crut qu'elle soupirait. Du tournant qui domine la

plage, tout à coup, la mer. « Tu n'aimes que ceux qui te plaisent » dit-elle à voix basse. Au même moment elle lui lâcha la main, s'arrêta, se retourna vers lui, reçut en pleine figure le vent du large. Ses cheveux s'envolèrent, retombèrent, tandis qu'elle le regardait bien en face — l'angle doux de son menton levé vers lui.

— Olivier, je vais me marier.

Une vague claqua sur la plage. Il sourit, baissa la tête. De petits grains de quartz brillaient dans le goudron de la route ; il entendit le crépitement des galets qui redescendaient avec la vague, puis dans le silence il demanda : « Qui ? » Et il planta les deux mains dans ses poches.

— Pierre.

— Pierre ?

— Pierre.

— Ah !

Il leva les yeux : éteignant tour à tour les étoiles, deux feux intermittents, vert et rouge, s'allumaient tour à tour dans le ciel. Il imagina un instant les têtes renversées sur les dossiers des fauteuils, les paupières closes sous les veilleuses, les corps emportés dans la nuit vers quelque ville du sud, Madrid, peut-être, ou Beyrouth... Elle allait partir. C'était une femme... Il n'a jamais songé à elle comme à une femme — pas même une jeune fille, plutôt un éternel enfant... Le murmure de l'avion revenait encore vibrer à ses oreilles, par bribes, tandis qu'il demandait d'une voix à la fois distraite et coupée, comme s'il allumait une cigarette en parlant : « Et... il t'aime ? »

— Je ne sais pas... Il croit que oui. Il est tellement triste quand il est avec moi...

— Il est triste avec tout le monde, tu sais.

— Tout ce que je sais, dit Anne d'une voix douce c'est qu'il a besoin d'être aimé.

— Mon meilleur ami, mon seul ami... Tu ne pouvais pas mieux choisir.

Brusquement, elle a joint les mains, une supplication enfantine aux lèvres, puis les doux yeux d'Annamite vacillent, descendent le long de la poitrine d'Olivier, se ferment. « Tu ne veux pas comprendre... » Il s'éloigne sans répondre, comme s'il continuait simplement sa route, indifférent, de son pas vagabond; puis il se retourne, l'épie, planté de profil à l'angle de la route, l'œil fixe et inquiet, pareil au petit garçon que madame Aldrouze emmenait parfois le jeudi sur les chantiers (espérant qu'il dirigerait un jour, à son tour, l'entreprise familiale) et qui restait des heures juché sur une poutre, suivant chaque geste de chaque homme avec une attention forcenée — jusqu'au jour où le contremaître avoua que cela gênait les ouvriers dans leur travail. Il revient vers elle, la cigarette aux lèvres, nonchalant. Il ne regarde pas son visage, mais sa jupe qui bouge autour de ses jambes nues.

— C'est étrange, tout de même, qu'il ne m'en ait pas parlé dans ses lettres... C'est récent?

— Je ne voulais pas qu'il t'en parle.

— Pourquoi?

— Tu le fais exprès?

— Tu sais qu'il va être nommé à Beyrouth?

— Oh! Olivier...

Elle secoue la tête, il s'approche encore, pose une main sur son cou, caresse la chaîne d'or de sa médaille.

— Il fait froid, on rentre.

II

Anne avait tendu son verre, heurté la carafe — et le verre en tombant se brisa contre la table.

— C'est du verre blanc, fit Berthe. Il faudra le dire à Pierre.

— Que tu es maladroite, ma pauvre fille!

— Elle se couche trop tard, dit Berthe; à quelle heure t'es-tu couchée hier soir?

Les débris du verre dans les mains, Anne releva ses lents yeux noirs, avec ce sourire de pitié chagrine qu'elle oppose toujours aux moqueries, aux offenses, comme si les coups qu'on lui destine ne blessaient que ceux qui les donnent.

— Je me suis couchée assez tard mais je me suis endormie tout de suite. Comme d'habitude. Sans médicaments.

Berthe lâcha ses cachets.

— Chacun les siens, murmura-t-elle.

Une guêpe qui bourdonnait se posa sur un fruit et pendant un moment, dans l'odeur d'ombre des volets clos, ils parurent tous écouter le battement de l'horloge. « Il va faire de l'orage, dit Madame Aldrouze. Je le sens à mes pauvres jambes. Anne qu'est-ce que tu attends pour débarrasser la table? »

Il regarda Anne se lever, si sage, si brune dans sa robe claire, et tandis qu'elle se penchait sur lui pour prendre son assiette, « tiens? Tu ne manges plus tes pommes jusqu'au bout, comme avant... » il respira sans répondre. Elle traversa le vestibule, ses espadrilles glissaient sans bruit sur le parquet, seul s'éloignait le froissement de sa robe. Berthe reprit du vin.

— L'armée ne t'a pas rendu bavard, dit-elle en le regardant. Tu as des soucis? » Elle but d'un trait, se leva, épousseta du dos de la main des mies de pain accrochées à sa jupe. « Bon, je vais faire ma sieste.

— Depuis quand fais-tu la sieste ?

— Depuis que le médecin l'a dit.

Elle croisa les mains sur son ventre. Une épingle de nourrice qui maintenait sa jupe brilla et un petit pan de chair blanche apparut. Le regard d'Olivier remonta jusqu'à sa poitrine.

— C'est un tort. Il te faudrait de l'exercice, tu vas étouffer.

— Olivier, dit madame Aldrouze. Ne sois pas méchant...

— Je ne suis pas méchant, nager lui ferait du bien. Il y a des plages tranquilles où personne ne la verrait.

Berthe recula jusqu'au mur, le visage violet. Sa mère la regardait d'un air suppliant, tandis qu'Olivier, la cigarette aux lèvres, paraissait attendre avec une lassitude courtoise, le moment où se jetant dans les bras l'une de l'autre, elles éclateraient en sanglots. Mais Berthe se redressa, fit front — et il pensa que Pierre arriverait demain. « Maman et moi nous savons bien

17

que tu nous méprises ! Tu as dû être trop heureux de ne pas nous voir, pendant tes deux ans de service militaire... » Quand repartiraient-ils ? Où se marieraient-ils ? Le suivrait-elle à Beyrouth ? Il s'aperçut qu'il n'avait rien demandé, il s'était levé très tard, il eut l'impression de s'éveiller tout à coup. « Alors, pourquoi es-tu revenu ? Puisqu'Anne se marie... » Elle s'était tournée vers sa mère. « Heureusement d'ailleurs. Il est temps qu'elle échappe à l'influence de ce détraqué ! »

Olivier se leva et s'approcha d'elle.

— Je vais te dire un petit proverbe breton, Berthe, dont tu pourras faire ton profit. *N'hen eus mann a vad bars ar bed, Met caroud a bezan caret :* « Il n'est rien de bon dans le monde, que d'aimer et d'être aimée. »

Il lui sourit, feignit de s'incliner, sortit.

— Fils de fou...

— Berthe, dit madame Aldrouze. Respecte les morts ! Ton pauvre père n'a jamais été fou.

— Tu sais très bien ce que je veux dire. Ce n'est tout de même pas toi qui vas le défendre !

— Tais-toi. Olivier peut t'entendre. Il ne supporterait pas que tu parles ainsi de votre père.

— Bien sûr ! Papa est sacré pour lui du moment qu'il nous a fait souffrir. Elle est belle, la famille Aldrouze ! Quelque chose nous manque, je l'ai toujours su... Seulement ça ne se voit que sur moi...

A travers ses larmes elle vit sa mère glisser vers elle et lui tendre les mains, vouloir la consoler, la toucher... « Berthe. Je t'aime, moi... »

— Oh ! toi — ça m'est égal.

A plat ventre sur son lit, la figure étouffée dans l'oreiller, son gros corps secoué de sanglots, elle a d'abord écouté le bruit détesté de leurs voix, et maintenant elle s'apaise peu à peu, les éclats d'une dispute lointaine la consolent — oh! un monde merveilleux où tout le monde se haïrait... « Nager lui ferait du bien. Il y a des plages tranquilles où personne... » Que pouvait-elle répondre? Rien ne le blesse, rien ne l'attendrit, les baisers mêmes doivent déraper sur ses lèvres fermées et lisses... « Tu as bonne mine, Berthe. » Ses moindres compliments, les attentions qu'il a parfois pour elle ne répandent leur poison qu'après coup, quand sur le point de s'endormir, pour apaiser sa solitude, elle les savoure. « Tu as bonne mine, Berthe. » Combien de fois s'est-elle laissé prendre à la douceur de sa méchanceté ! Tout petit, quand elle l'enfermait dans ses bras « Qu'il est beau ! Il est à croquer... à croquer ! » il ne se débattait pas, et feignant de lui rendre ses caresses il en profitait pour la pincer ou la mordre, les yeux aigus, comme s'il se vengeait — mais de quoi...? « Tu as bonne mine, Berthe. »

Un dimanche où ils revenaient du cirque tous les deux — il avait sept ans, elle, treize — il lâcha brusquement sa main sur le quai du métro, se faufila à travers la foule ; elle le perdit de vue, se mit à courir, l'appela, entendit se fermer les portières et l'aperçut enfin, glissant debout vers le tunnel, le visage collé à la vitre et la regardant, calme, dans son costume bleu à boutons dorés. Courant à côté du métro sur le quai vide, elle essayait de lui faire comprendre qu'il devait des-

cendre à la station suivante et l'y attendre. Mais il
n'était pas à la station suivante; ni aux autres. Elle
rentra en larmes; il faisait très chaud; sa mère la
gifla. Toutes deux se regardèrent trois heures dans une
glace au-dessus de la pendule. A son retour, il dit seulement d'une voix tranquille: « Je me suis promené...
Il faisait beau. » Quand il était privé de dessert il se
privait lui-même de dîner, il attendait que sa mère
levât la punition et le suppliât. Ce soir-là encore elle
céda; lui, pas. Il marchait à genoux sous la table, son
endroit favori pour bouder. « Mon chéri tu devrais
nous comprendre, Berthe t'a cherché partout! » « J'ai
failli me faire écraser », avait ajouté Berthe en soule-
vant la nappe. La voix d'Olivier résonna lentement
sous la table: « Tant mm... mal. »

Pendant longtemps Berthe avait espéré, sinon se
faire aimer de lui, au moins l'apprivoiser, recueillir ses
confidences... Il était si seul, il était si beau, il n'avait
pas d'amis et quand il rentrait de l'école avec des notes
trop brillantes, il jetait son carnet sur la table comme
s'il était furieux de faire plaisir.

Puis, elle feignit de l'ignorer. Avant de partir pour le
lycée, ils prenaient leur petit déjeuner face à face dans
la maison de Sèvres et pour mieux se contraindre à
ne pas lui parler elle relisait chaque matin le journal
de la veille. Il repoussait sa chaise, elle sentait se poser
sur elle son regard à peine étonné, la porte retombait
derrière lui, il allait disparaître, elle n'y tenait plus,
elle se levait d'un bond et elle courait à la fenêtre —
son petit frère, son seul enfant! — pour le voir refermer la grille.

A douze ans il ne se laissait plus toucher, il dérobait

vite sa joue quand sa mère voulait l'embrasser, et pour lui rendre son baiser il rentrait les lèvres. Comment le comprendre? Un jour il arrivait rayonnant, avec un bouquet de fleurs, mais dès qu'il voyait les visages s'épanouir il tournait la tête comme s'il avait honte et courait s'enfermer dans sa chambre.

Au moins il ne la blessait plus. Il ne l'appelait plus la Bertha. Quand elle quittait la pièce, en larmes, après une discussion avec sa mère ou quelque crise de nerfs, elle ne l'entendait plus murmurer derrière la porte : « C'est une grosse Berthe pour nous tous... » Elle s'aperçut qu'il corrigeait de plus en plus souvent les devoirs d'Anne, la promenait, lui parlait longtemps le soir dans sa chambre...

Berthe a ouvert l'armoire, soulevé une pile de draps, et maintenant, de nouveau étendue, elle boit à même le goulot. « Il n'est rien de bon dans le monde que d'aimer et d'être aimée. » Sur une étiquette blanche, debout dans un champ de cannes, un négrillon lui sourit.

Elle les entend descendre le perron, parler en s'éloignant dans l'allée ; il est trop tard pour les voir entre les fentes des volets ; elle court sur le palier, se penche au-dessus de la rampe. « Maman ! crie-t-elle, où s'en vont-ils ? »

En bas, la pendule de la salle à manger sonne trois coups. Elle les compte, les mains appuyées à la rampe, le cœur battant, puis elle entend renaître et grandir le silence et elle s'affole.

— Maman !

— Que veux-tu ? Qu'est-ce que tu as, ma chérie ? Pourquoi ne te reposes-tu pas ?

— Où sont-ils partis encore ?

21

— Ouvrir la villa des Leroy, pour l'arrivée de Pierre.
Tu veux quelque chose ?

— Mais non.

Elle ferme sa porte à clé, boit et s'étend, la bouche
entrouverte, l'oreille tendue — qu'un bruit de râteau
suffise à son plaisir...

— Alors, tu abandonnes le dessin ?

Sans répondre, elle a cueilli un bouton d'or et elle
chantonne. Les ornières du chemin creux leur laissent
juste assez de place pour marcher côte à côte, deux
haies de noisetiers et de chênes nains leur cachent les
prés, et parfois, quand les branches se rejoignent et
s'enlacent au-dessus d'eux, ils respirent un air sucré
dont le parfum les entête. Olivier allume une cigarette
pour s'arrêter, laisser passer Anne devant lui et la
regarder glisser sous ce ciel d'orage où pas une feuille,
pas un nuage ne bouge — tragique, avec sa jupe à
damier noir et blanc.

Il regarde sa nuque. Parce que l'air est lourd, peut-
être, la paume des mains le brûle, ses tempes battent.
Elle a avoué tout à l'heure qu'ils partiront pour Beyrouth aussitôt après leur mariage : Pierre commencera
ses cours de lettres, au lycée français, le premier octobre. La haie disparaît ; seul dans un pré un poulain
qui broutait tourne la tête, les regarde par-dessus son
épaule en hennissant ; sa peau tremble sous les mouches. Pourquoi cette jupe à damier paraît-elle si... ?

— Tu n'iras pas te baigner tout à l'heure ?

— Tu es folle, il va pleuvoir.

— Demain, nous irons tous à la plage.

Demain nous irons tous à la plage... Tous ? Dans un champ, sur la droite, une fourche plantée dans une meule de foin dresse sous le ciel bas sa solitude. Que cet orage éclate, couvre le bourdonnement de l'air, l'agaçant frôlement de sa jupe !... Mais ces roulements lointains ne sont que les cahots d'une charrette invisible.

— Pourquoi t'es-tu changée ? Tu ne portais pas cette jupe à déjeuner.

— J'ai renversé du café sur ma robe.

Le chemin tourne ; dans la cour d'une ferme, un homme en bleu de travail, le pantalon rentré dans ses bottes, tire un cheval par la bride.

— Décidément tu renverses tout, aujourd'hui...

Ils sont allés chercher la clé chez Kervélegan, le fermier des Leroy, qu'ils connaissent depuis leur enfance. Et dans l'odeur de leur enfance — odeur d'étable, de terre battue, de bois fumé — ils ont bu chacun un petit verre de lambic. Puis Kervélegan a tourné vers Anne ses pommettes de mongol, ses yeux bleus et bridés, sa longue moustache blonde au ras des lèvres qui lui donne toujours l'air de sourire.

— Et toi, Anne ? C'est pour quand ce mariage ?

Elle a baissé les yeux sur son verre.

— En septembre.

— Tu es content, Olivier ? Depuis le temps qu'ils se connaissent, cela devait finir comme ça, pas vrai ?

Ils sont sortis, la campagne est muette. En haut d'une colline dont les fougères ont brûlé l'été dernier, entre des pins, la villa des Leroy, très blanche sous le ciel orageux, volets clos.

Il ouvre la porte, laisse passer Anne devant lui, s'enfonce dans une odeur de cave, d'étoffes défraîchies. Le salon, dont elle ouvre une fenêtre sur l'orage, s'éclaire d'une lueur aussi faible que l'aube, comme si les housses des sièges, les meubles poussiéreux l'absorbaient aussitôt.

— Tu n'ouvres pas l'autre ?

Anne traverse la pièce et tout à coup il se souvient cette jupe à damier noir et blanc, elle la portait, deux ans auparavant, le soir où il partit pour l'armée.

Il est monté seul au premier étage, il est entré doucement dans la chambre de Pierre, il a ouvert la fenêtre et rabattu les volets sans bruit. Il n'y a pas de taches sur les murs. L'abat-jour jauni n'est pas déchiré. Il semble que cette pièce n'ait jamais été habitée que par le temps.

Il reste une longue minute sans bouger, debout près de la fenêtre, dans l'épaisseur parfumée de l'air où l'odeur de l'orage se mêle à celle des pins, et il parcourt la chambre d'un regard si lent qu'elle devient mystérieuse. Soudain il contourne le lit, ouvre le tiroir de la table de nuit: ce carton de tir, troué par quatre balles maladroites, est-ce un exploit de Pierre, ou d'Anne ?

Après le vacarme de la fête, quelle promenade silencieuse au bord de la mer, quel premier baiser ce petit carton carré prétend-il retenir ? Anne a tellement peur de briser la joie des autres: il a peut-être suffi que

Pierre ait l'air gai, ce soir-là, pour qu'elle se soit laissé faire.

— Olivier !

Un bref coup de vent fait claquer une fenêtre. Anne va-t-elle monter ? Il ouvre un placard, soulève une chemisette ornée d'un crocodile vert. Des chaussures de basket sont enveloppées dans un vieux numéro de *l'Express*. Pierre se moquait des cours de gymnastique ; il pouvait grimper dix mètres à la corde sans s'aider des jambes, mais aux barres fixes, au chevalet, au basket-ball, au saut en hauteur, il se réfugiait dans sa maladresse. Très raide sur ses membres musclés, avec son short bleu flottant et ses grosses chaussures de basket, il courait en ligne droite d'un petit trot pesant, accrochait l'élastique, s'empêtrait dedans et finissait par s'écrouler sur le sable, entraînant dans sa chute les poteaux de bois, tandis que leur professeur — un ancien déporté qui leur apprenait la savate en cachette — lui criait « Eh ! là-bas, garçon ! Tu cherches tes lunettes ? » Alors il se relevait et se mettait à rire avec les autres.

Ils se connurent en quatrième. Ils avaient treize ans. Ils se détestèrent tout de suite. Olivier le prenait pour un lâche et lui-même, à cette époque-là, passait pour orgueilleux : Pierre et lui ne se parlaient presque jamais. Les Leroy achetèrent cette année-là une villa près de Portsaint et jusqu'au bout ils ignorèrent tous les deux qu'ils seraient voisins de vacances. Ils se rencontrèrent près de la plage, un matin de soleil ; il avait plu deux jours et le sable était encore sombre. Olivier était remonté jusqu'au talus pour acheter une glace à la fraise à une marchande ambulante, il venait de ramasser sa monnaie quand, relevant la tête, il aperçut Pierre qui marchait sur l'autre bord de la route, et trois semaines plus tard ils étaient amis.

— Qu'est-ce que tu cherches ?

Il se retourne en souriant.

— Des traces de Pierre...

Elle regarde à ses pieds. Pourquoi ne parle-t-elle pas ?

— Tu as été à la fête de Portsaint l'année dernière, avec Pierre ?

— Je ne sais plus... Pourquoi ? Je crois que oui. On s'en va ?

Il ferme la fenêtre et s'assied calmement sur le bord du lit.

— Que faisiez-vous ensemble ? dit-il.

Elle n'a pas changé de visage, et le léger mouvement de ses sourcils n'interroge même pas, n'exprime qu'une indécision silencieuse, comme si elle s'excusait de ne pas comprendre. Un instant la chambre s'emplit d'une lueur jaune et sourde. Un oiseau s'enfuit vers la mer ; un grillon qui chantait avant l'éclair s'est tu.

— Mais vous vous voyiez souvent ? Quand cela a-t-il commencé ?

— Je ne sais pas... l'année dernière ?

— Vous sortiez ensemble ? Où alliez-vous ?

— Oh, tu sais... Il était très pris. Il faisait son stage.

— Vous alliez au cinéma ?

— Quelquefois...

— Quels films alliez-vous voir ?

Elle fronce tout à coup les sourcils. « Tu te moques de moi, Olivier ? » Il tend un doigt vers elle, avec un sourire malicieux et naïf : « Tu me caches quelque chose. Quand tu étais petite, tu disais tout à ton grand frère. » Aussitôt il redevient grave : « Il faut tout me dire, Anne... Tu peux tout me dire. Je te comprendrai toujours, tu sais. » Il fixe quelque chose à côté d'elle, la porte entrebâillée peut-être, ou bien cette mouche immobile sur une fleur du mur. « J'essaie de vous imaginer ensemble... murmure-t-il. Je n'y arrive pas. »

— Tu sais qu'il est plus de cinq heures ?

Tu sais qu'il est plus de cinq heures... ? Elle a dit cela d'une voix tellement douce qu'il semble qu'elle ait voulu dire autre chose, ses lèvres seules l'ont trahie. En ce moment sans doute Pierre ferme sa mallette de cuir jaune ; le grand sac de tissu écossais, dans lequel il met ses costumes, est étendu sur son lit. Il sifflote tout bas, entre ses dents, car c'est le jour de consultation du professeur Leroy et sa chambre est juste à côté du bureau, on entend tout. Mais il a ouvert sa fenêtre sur cet après-midi de juillet à Paris, et peut-être se penche-t-il au dehors, dans l'air chaud, regardant l'ombre des platanes bouger sur le trottoir, ou un taxi rouge s'arrêter devant sa porte, et il pense : « Je vais partir. Le ciel est bleu. Je dînerai à Morlaix. Je roulerai dans la nuit. Demain Anne sera dans mes bras. Olivier marchera à côté de nous. » Il n'est pas parti et déjà son voyage commence ; le meilleur moment du voyage — auquel son départ mettra fin.

— Autant attendre l'orage ici, dit Olivier. Tu ne t'assieds pas ?

Mais quand elle s'assoit près de lui, posant la main sur son épaule, il se sent soudain seul — seul avec elle — et il se lève.

— Tu te souviens de cet orage, le jour où papa nous avait emmenés à Huelgoat ?

— Oui : il m'avait cachée sous sa veste.

— C'était juste avant la guerre. Tu avais quatre ans. Est-ce que tu penses quelquefois à lui ?

— Tu sais, j'étais si petite... Je revois seulement sa moustache et son chapeau, son chapeau blanc.

— Moi je pense à lui presque tous les jours...

Brusquement il se retourne.

— Mais qu'est-ce que tu aimes en Pierre, Anne ?

Elle pince les lèvres. Elle semble butée, presque hostile. « Moi, dit-il tristement, je l'aime parce qu'il est droit. » Un éclair traverse la pièce. Elle relève la tête et dit d'une voix tranquille :

— C'est même étonnant qu'il soit resté si droit, avec l'influence que tu as eue sur lui et toutes les théories dont tu lui as bourré le crâne.

Le visage d'Olivier devient gris. « Tiens ! Il t'a fait ce genre de confidences ? Je trouve ça moche. »

— Oh, tu veux toujours savoir ! savoir !.... Jamais comprendre...

Il est revenu s'asseoir à côté d'elle et il murmure avec bonté, en hochant la tête : « Je ne veux que ton bonheur, Anne. »

— Tais-toi. Tu me fais peur quand tu dis ça.

Il penche le visage vers le sol ; et tout à coup, sans bouger, sans même la regarder, comme s'il s'adressait seulement à l'image qu'il se fait d'elle : « Ma petite sœur », murmure-t-il d'une voix pressante.

— Maman est malade.

Dans le soir, elle les avait regardés revenir à travers champs dans le soir, et leurs visages, leurs corps, leurs pas pensifs se confondaient dans la brume au-dessus des champs mouillés. Ils étaient loin encore, mais à la façon dont ils marchaient elle devinait déjà leur regard. Lorsqu'ils s'arrêtèrent devant elle, Berthe parut surprise qu'ils l'eussent tout de même vue. Quel couple ! Lui, avec son profil de rapace, posant de biais son regard sur Berthe, et Anne, figée dans un silence hypocrite, avec ses cheveux dénoués, sa médaille, penchant vers le sol son visage d'angélus... Berthe avait attendu un moment avant de leur jeter à la figure, comme une accusation : « Maman est malade. »

— Qu'est-ce qu'elle a ?

— Elle est malade, je te dis. Elle est couchée. Elle ne va pas bien.

— Elle n'était pas malade quand nous sommes partis !

— Elle a eu le temps depuis.

— Mais de quoi souffre-t-elle ? Elle a de la fièvre ?

— Est-ce que je sais ? Je ne suis pas médecin.

— Moi non plus.

— Au contraire !

Un abat-jour de papier fripé filtre une lumière rose. Sur le drap, la manche d'une liseuse, un poignet, une longue main.

— Ce n'est rien, mon grand. L'âge, la fatigue — tu sais...

— On dit ça, fit Berthe.

C'est la première fois qu'Olivier voit sa mère couchée. D'habitude, elle semble puiser dans la fatigue et la souffrance un regain de cette énergie entêtée et chancelante qui paraît lui donner à chaque seconde

29

de justesse, une nouvelle seconde de survie. Elle s'est soulevée sur un coude :

— Eh bien, ma petite Anne, qu'est-ce que tu fais là, plantée comme une mouche ? Le dîner cuit tout seul, ce soir ?

Ils sont redescendus, elle n'a rien voulu prendre, elle a éteint la lampe, et les mains croisées elle attend la nuit. Tandis que sur la plage de Portsaint des jeunes gens qui se sont attardés pour une partie de volley-ball prennent leur dernier bain dans une eau pâle d'aigue-marine et que Pierre, au volant de sa quatre chevaux, roule quelque part, heureux, entre Laigle et Verneuil, Madame Aldrouze, les yeux ouverts, regarde les dernières fentes de jour à travers les persiennes...

LA CÔTE SAUVAGE

III

— Je me demande à quelle heure il arrivera », dit
Berthe. Elle portait une robe à fleurs. Elle regarda
autour d'elle mais personne ne répondit. « En tout cas,
on a bien fait de se mettre à table sans lui...

Elle haussa les épaules et but d'un trait son verre de
vin. Elle paraissait agitée, impatiente, comme si Pierre
ne venait que pour elle. « Anne, ton poulet est succu-
lent ! » Brusquement elle fronça les sourcils, préoccupée, et elle hochait la tête en faisant claquer sa langue.
Elle semblait jouir de ses propres gestes.

— Il a peut-être eu un accident ? Ou une panne ?
Qu'en penses-tu, Olivier ?

— Mais je n'en sais rien ! Tu nous barbes à la fin.

Elle eut un sourire de coquette et murmura « charmant ! » d'une voix courte et pincée. Puis, relevant la
tête, les narines palpitantes de bonne humeur et de
nervosité, elle renifla à petits coups l'odeur de cre-
tonne et de fruits qui baignait la salle à manger.

— Tu as eu tort de te lever. Tu as une de ces mines !

— Aujourd'hui, je me sens mieux, dit madame
Aldrouze.

— Je me méfie de ce genre de mieux, dit Berthe. On verra ce soir ce que le docteur Le Gall en pense.

Elle les piqua de son petit œil sournois : ils faisaient exprès de ne pas répondre ; depuis plus d'une minute, Olivier jouait avec une mie de pain. Elle ajouta :

— Il devrait tous vous examiner, d'ailleurs.

Ils buvaient le café au salon quand ils entendirent la fanfare.

— C'est la fanfare de Portsaint ! s'écria Berthe. Ils remontent la route jusqu'à Bertheaume, je l'ai lu dans Ouest-France.

Les coins des yeux d'Anne se ridèrent de plaisir. « Le premier au calvaire ? » Mais elle fut la seule à courir. Assis tous les trois au pied de la croix, sur une marche de granit, ils les regardèrent passer : le chef d'orchestre marchant à reculons, souriant, opinant en cadence, jetant de temps à autre la tête en arrière, un trompette aux yeux exorbités, le béret sur la nuque, suffoquant, deux trombones en uniforme bleu à galons rouges (les visières de leurs casquettes miroitaient), une petite fille en robe rose à bretelles courant entre eux et battant des mains, et des cornets à piston, des cymbales, une clarinette et des tambours — dans une tempête de cuivres, de cris d'enfants et de soleil.

« Regarde s'il est mignon » dit Anne : de l'autre côté de la route, assis sur une borne, les mains sur la canne et la canne entre les jambes, un petit vieux en chapeau beige, les sourcils très hauts, le masque rose, souriant et figé. Les musiciens passent ; les rides forment des croisillons sur la peau rouge et tannée de leur nuque ; ils...

— Pierre ! dit Olivier.

Sa mallette de cuir jaune à la main, Pierre marche derrière la fanfare, immense et massif au milieu des enfants (deux garçonnets en culottes de velours et chaussettes blanches viennent de le bousculer), aux côtés d'une jeune fille en robe imprimée. Il ne les a pas encore vus, regardant droit devant lui et ruisselant de soleil. Mais la sueur, la fatigue n'ont pas défraîchi sa franche, blonde et froide figure ; sous son bras replié, il tient sa veste comme une arme.

« La panne ! mon vieux. La panne idiote. » — « Ah ! Qu'est-ce que je vous avais dit ? » « Ne me touchez pas, Anne, je suis couvert de cambouis. » « Eh bien... dit Anne. Vous qui arrivez d'habitude sans tambour ni trompette... » Olivier dévisage Pierre avec un long sourire grave. Pierre le saisit aux épaules. « Si tu savais comme tu m'as manqué ! » Discrètement, avec souplesse, les épaules se dérobent aussitôt sous ses mains. « Et moi, donc. » Immobile, clignant dans le soleil, la jeune fille en robe imprimée penche sur l'épaule une petite tête d'oiseau piégé. La fatigue, ou quelque tension secrète, durcit son regard. Elle tient à la main une valise verte en carton bouilli. « Laissez-moi votre valise » dit Olivier. Il se retourne pour interroger Pierre du regard, mais Pierre s'éloigne déjà, le torse droit, massif, entre Anne et Berthe.

— Vous avez fait bon voyage ?

— Très bon, je vous remercie Monsieur.

— Pierre conduit toujours aussi mal ?

— Oh ! mais non, pas du tout, Monsieur !

Olivier marche un moment sans rien dire. A quelques mètres devant lui, la robe et le rire d'Anne.

— Il y a longtemps que vous connaissez Pierre ?

— Je suis entrée au service de Madame Leroy il y a six mois.

Olivier feuilletait, seul dans le salon, les *Arcana Coelesta* de Svedenborg, quand vers quatre heures Pierre entra : lavé, rasé, changé. Avec ses sandalettes, son short beige, sa chemisette ouverte — et ce frais visage au regard pâle et tendu, il avait l'air d'un adolescent. Il fit des yeux le tour de la pièce : Olivier était seul ; ils échangèrent un sourire désert. Pierre s'avança, les fentes de soleil entre les volets tigrèrent un instant son corps, que l'ombre recouvrit aussitôt. Quand il s'arrêta, le balancier doré d'une vieille pendule continua de battre derrière lui.

— Ah ! Svedenborg... Que fait Anne ?

Olivier referma le livre, regarda sur le dos de sa main gauche quatre petites cicatrices blanches. Il alluma une cigarette, allongea les jambes et rejeta voluptueusement la fumée, attentif, sûr de son corps.

— Alors, Pierre ! Si nous parlions un peu de toi ?

Pierre s'éloigna de quelques pas. « ... rien de neuf » murmura-t-il. Et il s'assit près de la porte.

— C'est vrai qu'à part tes cheveux en brosse, tu n'as pas changé.

— Toi non plus. Que vas-tu faire en octobre ?

— Mais... l'entreprise Aldrouze et fils. Le bâtiment français m'attend. Et toi, Beyrouth ?

Pierre se leva, fit quelques pas, se rassit. Olivier le suivait d'un regard de chat. Ce regard, cette présence jamais distraite, avaient parfois fatigué Pierre; contraint, dès qu'Olivier était là (et il était là chaque jour, au moins au Lycée), de regarder partout, d'écouter tout, de chercher avec lui à tout connaître, entraîné sans repos dans de nouvelles fantaisies, quelque découverte métaphysique, des promenades ou des lectures — Nerval et Valéry, ou Fabre d'Olivet — Pierre ne pouvait jamais s'ennuyer à son gré. Il lui fallait vivre de force. « Que fait-on ? » Olivier savait toujours quoi faire. « Où va-t-on ? » Il allait au hasard, mais le hasard l'aimait, ou plutôt il n'aimait que le hasard des choses. Et si Pierre retournait parfois seul dans quelque lieu qui les avait surpris, il s'agaçait de le trouver médiocre, de s'être laissé jouer. Il détestait particulièrement, ces jours-là, une petite phrase qu'Olivier répétait trop souvent : « Je me juge à ma chance. »

— Beyrouth... fit Pierre. Ça n'était pas trop dur, l'Algérie ?

— Je t'ai écrit tout ce que j'en pensais. Dis-moi, Pierre : pourquoi as-tu pris un poste à l'étranger ?

— Le traitement est plus avantageux... Je vais avoir besoin d'argent, maintenant.

— Mais nous ne nous verrons plus.

— Je reviendrai.

— Ce sont tout de même nos dernières vacances.

Pierre baissa les yeux :

— Tu te souviens de cette promenade en barque au clair de lune ? Et le jour où tu t'es foulé la cheville à Bertheaume ? J'ai dû te porter dans mes bras jusqu'au manoir...

Ils entendirent le pas du jardinier sur le gravier et le bruit du tuyau d'arrosage.

35

— Quelle chance, d'avoir tant de choses à regretter, dit Olivier avec un rire léger. Je ne t'ai pas demandé de nouvelles d'Hélène ?

— Je n'en ai pas. Tu dois te douter que je ne l'ai pas revue.

— Elle est peut-être retournée aux Indes ?

Il y eut des pas dans l'escalier ; Berthe passa deux fois devant la porte entrouverte et disparut.

— Mais elle n'a jamais été aux Indes !

— Pierre ! dit Anne. Tu étais là ?

Ballons, parasols rouges, bruits d'eau, châteaux de sable... Olivier, qui marchait devant Anne et Pierre sur la route, regardait au loin la plage, dont seule la rumeur laissait deviner le mouvement — appels, cris d'enfants, clapotis, mer tachetée de barques de couleur, tiges élancées des jambes de jeunes filles avec leurs maillots à fleurs.

Mais à mesure qu'il s'approchait, franchissant le talus, s'avançant sur le sable, il ne voyait plus que des peaux rougies par le soleil, le petit tas flasque d'un bébé nu, une varice sur un mollet de femme, des cicatrices de vaccins, des aisselles —

plages ! châteaux de sable, bruits d'eau, parasols rouges, ballons... L'été de ses cinq ans : il passait ses vacances en Touraine avec sa mère, et il était amoureux d'une forêt. Assis sur le mur du jardin, il regardait pendant des heures une ligne d'un bleu uni et sombre qui s'allongeait à l'horizon : la forêt. La forêt ! Un jour, bien qu'il lui fût défendu de sortir seul, il s'était élancé à travers champs et il l'avait atteinte : c'étaient des arbres.

— Quand tes parents arrivent-ils ?

— Je ne sais pas s'ils viendront. Ils vont à un congrès en Argentine.

— Et quand pars-tu pour Beyrouth ?

— Je ne sais pas encore...

— Si on allait se baigner ? dit Anne.

Elle portait un maillot bleu ciel dont une bretelle avait glissé sur sa mince épaule dorée. Personne ne bougea. Les mains de Pierre jouaient avec le sable. Olivier contemplait de ses yeux fendus par la fumée le bout d'une cigarette qui ne quittait pas sa bouche.

— Au fait, j'ai lu un article sur ton père, en Algérie.

— Oh... il est de plus en plus débordé : tous les gens ont le cœur malade aujourd'hui.

Il mordit l'ongle de son pouce droit, regarda ses paumes ; Anne et Olivier l'observaient.

— J'ai revu Touvel avant de partir. Il a un cabinet maintenant.

— Toujours aussi maigre ? dit Olivier.

— Toujours. Il va se marier, d'ailleurs.

— Ce sera très sain.

— N'est-ce pas, dit Pierre en riant. Et puis il faut bien faire une fin ?

Anne se contenta de lui sourire, la tête penchée sur l'épaule, comme les petits chats.

Tout à coup, d'un seul saut, Pierre fut debout.

— Allez ! l'eau doit être bonne.

— Le premier mouillé ? dit Anne.

Olivier vit Pierre s'élancer derrière elle, la soulever dans ses bras au passage et leurs corps mêlés se précipiter dans une eau blanche qui les recouvrit un instant.

Il les rejoignit. Ils nagèrent tous trois vers une petite barque où ils se hissèrent. Une écharde s'enfonça dans le talon de Pierre. Assis à la proue, Olivier regardait le large pied inerte, debout entre les genoux d'Anne, pressé entre ses doigts, repu. « Ça y est, je crois que je l'ai »; et il vit courir sur la jambe musclée de Pierre une onde blonde à fleur de peau. « Voilà ! C'est fini. »

Olivier se mit debout, en équilibre sur le bord de la barque, se rejeta souplement en arrière, plongea de dos. Lorsque sa tête réapparut à la surface, il nageait vers la rive.

Pierre le suivit un moment des yeux.

— Eh bien, nous, dit-il avec une assurance détachée, nous allons nager jusqu'au port, et nous reprendrons l'auto au garage.

Etendu sur le sable, après le bain, Olivier savourait une première cigarette, les yeux fermés sous le soleil du soir, sans chercher à savoir où ils étaient, pourquoi ils ne le rejoignaient pas. Il savait que cette indifférence bienheureuse, cette suffisance de son corps s'évanouirait bientôt — et qu'en la perdant, il se retrouverait : lui, sa nervosité, sa souffrance. Il aperçut entre ses cils un des supplices quotidiens des plages bretonnes : le petit garçon que l'on a obligé à se baigner et qui reste maintenant inerte, les yeux décolorés et hagards, une mèche dégoulinant en gouttes glacées sur son front, et tenant à la main une tartine de beurre salé saupoudrée de sable, qu'il mastique sans cesser de claquer des dents.

Le soir tombe, la mer se retire. Une petite barque bleue qui flottait encore tout à l'heure gît maintenant sur le côté. Près de l'eau, des poux de sable grouillent et sautent. Un sardinier rentre au port. Des familles s'ébranlent dans le sable, quelque enfant traînant derrière, la tête encore tournée vers la mer.

— Nous sommes allés chercher la voiture, cria Pierre.

— Qu'est-ce que c'était ?

— Je ne sais pas, je n'ai rien compris : je crois qu'il a parlé de bougies... En tout cas elle est réparée.

Pierre enfila son pantalon, chaussa ses sandalettes, sautant d'un pied sur l'autre. Il paraissait décidé, joyeux.

— Regarde ce que j'ai trouvé ! dit Anne.

Elle tenait une coquille Saint-Jacques remplie d'eau où nageait un crabe minuscule. Le soleil couchant vernissait son visage.

— Je vais l'apprivoiser. Quand il sera grand, je le mettrai dans le lit de Berthe. Je suis sûre qu'elle sera contente d'avoir quelqu'un à côté d'elle...

— Quand il sera grand, tu seras partie. Pourquoi te frottes-tu le nez ?

— Pierre a voulu essayer ses freins.

Pierre riait aussi. Dans l'auto, ils riaient encore tous les deux. « Comment l'appelleras-tu, ton petit crabe ?... » dit Pierre. « Je l'appellerai Pierre » dit-elle. Et dans le rétroviseur, elle croisa le regard d'Olivier.

Le tournant passa où elle s'était arrêtée avant-hier soir, les cheveux au vent, pour dire : « Je vais me marier », et de nouveau il les entendit rire, il vit de dos leurs épaules rapprochées.

— Tu peux nous laisser à la barrière, dit Olivier. Nous monterons l'allée à pied.

Il lui tendit la main très vite « ne te dérange pas », descendit, attendit avec impatience. « Eh bien, Anne, tu descends ? » Pierre pencha la tête par la portière.

— J'ai invité Anne à dîner.

— Ah ! bon.

Olivier releva sa mèche. Le ciel était encore clair.

Il contourna la voiture, poussa la barrière, et, se retournant, seul, souriant, il leur fit un signe de la main.

IV

Les jours tombèrent.

Ils se baignaient vers midi, Pierre revenait déjeuner au manoir. L'après-midi, quand ils ne retournaient pas tous les trois sur la plage, ils se promenaient dans la lande, toujours tous les trois, et entre les fougères que l'été commençait à brunir, le mince sentier des douaniers les emmenait vers quelque cap, Olivier, puis Anne, puis Pierre, au-dessus d'une mer lisse, glacée de soleil, et ramenait dans le soir leurs pas absorbés, silencieux, leurs visages baissés. Olivier, puis Anne, puis Pierre, jusqu'à la barrière blanche où ils se séparaient. Depuis que Louise, la domestique des Aldrouze, était revenue de Quimper où elle avait passé huit jours dans sa famille, Anne pouvait dîner presque chaque jour chez Pierre. Olivier restait seul, le soir, à l'attendre, assis dans le salon, tournant les pages d'un livre déjà lu, écoutant le silence auquel seul un chien répondait, dans la campagne fourmillante de nuit. Soudain un bruit montait, feutré, régulier et doux, s'épanouissait dans un crissement de gravier, trois petites notes claires tintaient contre les marches du perron, la porte s'éti-

rait en grinçant — puis, durant une prodigieuse seconde tout s'arrêtait — et aussitôt elle était là, debout
dans la lumière, et sa voix seule emplissait la pièce.
« Tu n'es pas encore couché ? » Il avait attendu trois
heures pour entendre cette phrase unique.

Parfois ils allaient goûter à Brest, ou plutôt ils emme-
naient Anne goûter : elle choisissait presque toujours
une tartelette au flan et un puits d'amour, tandis qu'ils
buvaient de la bière danoise. Parfois ils allaient manger
des crêpes — ces crêpes épaisses, grasses et fondantes
— chez des fermiers qu'ils connaissaient, Kervélegan,
Perec ou Le Gallois ; ils revenaient le long des chemins
bordés de pommiers, s'arrêtaient devant l'éternelle barrière,

et il les regardait s'éloigner, s'éloigner, glisser loin
de lui, et il restait appuyé à la barrière, déchiré par
cette illusion de légèreté que donnent les êtres qui nous
quittent.

Un soir où il remontait l'allée, après les avoir regardés partir, il entendit un chant de guitare s'échapper
par la fenêtre ouverte du salon. Berthe, sans doute,
écoutait la radio. Il s'arrêta. Des herbes qui brûlaient
dans un champ voisin répandaient une brume bleutée,
légère, pareille à celle des soirs de septembre. Tout à
coup il vit ces soirs de septembre à Paris — ces soirs
bleus de septembre où la lumière mourante de l'été a
la douceur des paupières, quand le soleil s'est couché
derrière les bois de Sèvres, quand les réverbères sur
le pont, les baies phosphorescentes de l'usine Renault,

les fenêtres sur l'autre quai ne brillent pas encore, ni les étoiles, il n'y a plus de lumière et tout n'est plus que lumière, même cette femme en corsage rouge qui tend du linge sur une péniche, tandis que reviennent, du tennis de Boulogne, les derniers joueurs de la saison. Un peu avant sept heures, le viaduc halète et tremble, un cendrier vibre contre le marbre de la cheminée, les vitres sifflent. Mais bientôt la douceur de la lumière l'emporte, étouffe le fracas des aiguillages, la fumée, le bruit des autos qui passent en seconde au carrefour, le mugissement d'un chaland... Et entre tous ces soirs bleus de septembre, il vit soudain se lever un seul soir, le dernier soir, le soir unique où, adossé à la grille, il les regardera monter dans la quatre chevaux grise, le visage tourné en arrière que la vitre brouille, que la distance efface, la voiture difforme, avec les valises sur le toit, diminuant jusqu'au tournant, et comme le soir sera presque tombé il verra le feu rouge du frein s'allumer, chavirer, disparaître ; alors sans doute il remontera dans sa chambre, il errera dans toutes les pièces, courra d'épave en épave, une ceinture blanche, un vieux bracelet, un foulard, et c'est alors seulement qu'il entendra les bruits que lui auront cachés la fièvre, l'angoisse du départ — portes qui claquent, valises qui se ferment, appels, escaliers montés et descendus quatre à quatre, « Maman, où as-tu mis mon passeport ? » « Qu'est-ce que tu fais de tes babouches, tu ne les emportes pas ? » qu'il reverra sa petit figure exténuée par la messe de mariage, le déjeuner, la réception, les sourires, préoccupée par mille idées fixes, mille soucis matériels où il n'entrera pas, les yeux à la fois excités et battus, passer et repasser devant lui sans le voir, et qu'il sentira sous ses lèvres la joue qu'elle lui aura tendue dans la rue, trop vite, sans qu'il en ait conscience, sans qu'il puisse penser à en fixer le goût, la douceur dans sa mémoire; sans qu'il voie même monter, d'un seul bond élastique, un chat de gouttière sur le parapet du pont. Et pourtant le goût de ce baiser, le chat, le moindre détail de cette seconde-là resurgiront tout à coup devant son regard pour jamais. Contre ce mur l'une de ses valises était longtemps restée ouverte, dans ce fauteuil, une heure plus tôt, elle s'était laissée tomber en soupirant, une heure plus tôt, une heure seulement elle était là, il pouvait encore poser un doigt sur sa main, une main sur ses cheveux, il pouvait lui parler et elle aurait répondu, il pouvait crier et elle l'aurait regardé. En bas, dans sa salle à manger, des sandwiches à demi mordus traîneront dans les assiettes, des noyaux d'olives, les papiers des petits fours. La fumée d'une cigarette oubliée montera doucement à contrejour, des traces de rouge à lèvres resteront sur les coupes.

Les jours tombaient. Olivier seul en inventait les distractions, choisissait les buts de leurs promenades, découvrait des villages perdus, des plages désertes. Anne dînait encore chez Pierre, mais ils restaient de moins en moins souvent seuls ensemble. Parfois, dès neuf heures, Olivier les voyait revenir au manoir, irrésistiblement ramenés à lui, pareils à des enfants que leur liberté terrorise. Quand ils poussaient la porte du salon et le trouvaient assis en train de lire, il voyait leurs visages s'éclairer, respirer, comme s'ils n'avaient chaque fois souffert leur tête-à-tête que pour se ménager la surprise, le bonheur et la délivrance de le rejoindre. Certains soir, il s'échappait avant leur arrivée, il marchait sur des chemins méconnaissables que la lune givrait et prolongeait à l'infini. Il s'éloignait le plus longtemps possible, il entraînait de force, dans une direction opposée au manoir où ils l'attendaient sans doute, son cœur. Plus il brûlait de revenir en arrière, plus il fuyait droit devant lui, comme un animal aveugle. D'instinct il a toujours préféré, au plaisir de céder, l'orgueilleuse volupté de se contraindre, et s'il cède, c'est presque toujours à cette fascination vertigineuse : il se résiste comme on succombe.

Ils étaient, elle était là-bas. Ils l'attendaient, guettaient ses pas, commençaient à s'inquiéter peut-être...

Un matin il partit pour Brest, où il acheta des boucles d'oreilles en or blanc. Il les offrit à Anne au dessert, devant tout le monde.

— Oh, Olivier ! Mais pourquoi ?

— C'est la Sainte-Anne, dit-il sans regarder Pierre.

— La Sainte-Anne ? Je n'y pensais même pas.

— Personne n'y pensait, dit Berthe.

Il y eut une longue immobilité sourde, orageuse, dont les mouches aussitôt profitèrent. Pierre se claqua la joue.

— Mais qu'est-ce qu'elles ont, aujourd'hui ?

— Je crois que vous les attirez, dit Anne.

45

La joue qu'il n'avait pas frappée était rouge aussi, il se leva, regardant ses paumes ouvertes ; un faux sourire crispait son visage.

— Et cet après-midi, que fait-on ? dit-il.

Parfois, l'après-midi, ils allaient jouer au tennis. Elle marchait devant lui, à côté de Pierre, tapant distraitement, à chaque pas, le bout de sa raquette contre sa cheville. Des abeilles se cognaient au grillage, quelques feuilles déjà dorées tintaient sur le court de ciment, la mer était plate, la mer était bleue, il jouait seul contre eux deux. Pierre monta au filet, reçut une balle dans l'œil, et partit leur chercher des sodas à l'orange. Olivier, le visage en feu, but sa bouteille d'un trait. Elle lui tendit la sienne : « Tu en veux encore ? »

Au retour, Pierre et Anne parlaient à mi-voix devant lui. Elle se mit à rire doucement. Olivier entendit : « ... que vous soyez triste. » puis : « Vous ne changerez donc jamais ? » Ce soir-là, devant la barrière, elle attendit un instant que Pierre lui demandât, comme chaque soir, si elle venait dîner avec lui, ou s'il pouvait venir la chercher au manoir vers neuf heures. Mais il se contenta de lui serrer la main, murmura bonsoir, les yeux baissés, et se retourna aussitôt. Un coq fou se mit à chanter. Tu ne l'as pas rappelé, tu ne l'as même pas regardé partir, tu es revenue avec moi jusqu'au manoir, dans l'allée où le vent fait tomber des chênes, l'hiver, ces glands que tu prenais pour des noisettes quand tu étais petite, nous avions une soirée pour nous seuls,

46

pour nous deux, le soir tombait et je sentais se lever le jour — pour nous seuls, pour nous deux, Anne !

Les jours tombaient, les jours tombaient, les jours insaisissables. Le dimanche matin, il allait la chercher à la sortie de la messe. Il arrivait toujours un peu en avance, il attendait dehors et quand l'harmonium s'arrêtait il entendait les bruits de la campagne, les insectes, le lent fourmillement de l'herbe. Sous l'arche ovale du porche vers lequel il s'avançait, le ciel grandissait, d'un bleu de lait. Au-dessous du portail de bois rouge et clouté, Saint-Joseph tenait l'enfant Jésus dans ses bras. Une mousse vert pâle poussait entre les pierres. Le portail s'ouvrait enfin, une petite vieille éblouie hésitait en haut des marches, puis deux paysans en costume de velours, puis toute une famille endimanchée, avec ses enfants et ses aïeux, et d'autres visages encore, d'autres visages, toujours nouveaux, jaillissant de l'ombre des voûtes, jusqu'à ce qu'elle apparût enfin, avec ses gants de fil blanc, son vieux missel de cuir à la main, les pois noirs de son foulard blanc, les yeux noirs de son visage clair, et immobile un instant sous le porche, elle le cherchait des yeux, rencontrait son regard tremblant dans le soleil, et souriait. Ils revenaient ensemble en voiture, et avant de passer chez Pierre ils s'arrêtaient au bord de la route pour prendre ce qu'ils appelaient, depuis l'enfance, leur « bain de fougères » ; elle courait les bras tendus dans les fougères, qui battaient comme des élytres à la hauteur de ses épaules ; elle avait gardé l'habitude enfantine de trouver tous les dimanches radieux et lorsqu'elle revenait en riant vers lui, jaillissait de l'océan des fougères, il la soulevait parfois dans ses bras et la faisait tour-

47

ner dans le vent jusqu'à ce qu'elle eût les yeux pleins
de larmes. Et quand je te reposais à terre, à demi étourdie tu t'appuyais contre mon épaule, puis tu faisais
quelques pas titubants, enchantée de ton vertige, et
moi je t'attendais près de l'auto, les bras vides.

V

Un après-midi, au début d'août, ils allèrent revoir la Pointe du Raz. Olivier, qui marchait derrière Anne et Pierre sur le sentier trop étroit, s'arrêta pour renouer son espadrille. Puis, au lieu de les suivre, il s'assit sur un rocher. Le ciel et l'océan, pâlissant vers le large, finissaient par si bien se confondre à l'horizon, qu'une blanche trainée de mouettes au loin paraissait le sillage d'un vaisseau. Olivier regardait passer les touristes — des familles entières avec leurs enfants, une tante ou parfois une vieille fille endimanchée d'un feutre démodé, d'un chapeau de paille, et qui soupirait d'émerveillement, de regret et de gratitude. Les promeneurs qui revenaient de la Pointe marchaient plus lentement que ceux qui s'y rendaient; leurs visages semblaient indifférents, comme si une dizaine de minutes leur avait suffi pour s'accoutumer à la beauté du lieu et ne plus rien voir. Et ils ne s'attardaient plus que pour goûter la satisfaction de parler, de se moucher, de peler des oranges dans l'intimité d'un site qui figurait sur des cartes postales et des manuels de géographie.

Olivier entendit crier son nom. Il ne bougea pas. Le

rocher était couvert d'un lichen léger comme de la cendre. Au bout d'un moment, il les vit revenir vers lui.

— Eh bien ? Pourquoi n'es-tu pas venu jusqu'au bout avec nous ?

— Plaignez-vous.

Ils remontèrent en auto, Pierre désira conduire : Olivier s'assit seul à l'arrière. « Olivier, si on jouait aux vagues ? » Ils s'étaient arrêtés, un peu avant Portsaint, au-dessus des rochers de Trégal. De lentes vagues bleues soulevaient l'eau sans la déplacer, et rebondissaient longuement sur les rochers qu'elles blanchissaient parfois jusqu'à la cime. Il avait seulement dit, tendant le bras par la portière : « Regardez ces vagues. Elles sont plus belles qu'à la pointe du Raz. » Et Pierre avait arrêté la voiture. Et Anne s'était retournée vers lui : « Olivier, si on jouait aux vagues ? »

Ils descendirent sur la plage de Trégal. Ils gagnèrent les rochers. Ce jeu de leur enfance consistait à s'approcher le plus possible de la lisière de l'eau, en courant sur les rochers, et à se retirer avant que la vague ne les recouvrît. Ils se mirent en maillot mais gardèrent leurs espadrilles, dont la semelle déraperait moins que des pieds nus sur le varech mouillé. Pierre sentit peut-être qu'Olivier l'observait. « Ce n'est pas très prudent » dit-il — mais il restait calme, détaché. Olivier haussa les épaules ; une lame plus forte vint répandre à leurs pieds une nappe qui se retira en grésillant. « Si c'était prudent, dit Olivier, ce ne serait pas drôle ? » Il s'élança. Anne s'élança derrière lui ; elle s'arrêta au bout de quelques mètres. Olivier ne fit demi-tour qu'après avoir touché un gros rocher où pendaient, rousses, des lianes de goémon. Lorsqu'il les rejoignit, haletant, mouillé, souriant, Anne lui tira la langue. « Je le toucherai à la prochaine. » « Moi aussi, dit Pierre ; puisque ça vous amuse. »

Ils l'atteignirent tous les trois. Mais tandis qu'ils fuyaient, la mer les rattrapa, monta en un instant jusqu'à leur taille et renversa Anne qui disparut sous la mousse, émergea en riant et en toussant, la main écorchée.

— Maintenant, nous allons le dépasser.

— C'est idiot, dit Pierre. Je préfère carrément me baigner.

Olivier non plus ne le regardait pas : « Voilà, murmura-t-il. Juste après celle-là. » Mais il ne bougea pas : un jeune homme en pantalon de velours noir s'avançait tranquillement vers le rocher, boitant légèrement, les mains dans les poches, droit sur la vague. Il atteignit le rocher et s'y hissa, au moment où la vague le recouvrait. Il reparut à la surface, s'ébroua, escalada de nouveau — et là, debout au-dessus des flots, les vêtements ruisselants, souriant, il leur fit un salut militaire. La vague suivante brisa, abattit et submergea son extravagante silhouette. Puis il vint vers eux, en boitillant ; ses cheveux crépus dégoulinaient ; un sourire relevait les coins de la bouche grasse.

— Etait-ce là tout ? dit-il.

Tous éclatèrent de rire.

Nicolas Goryak, après avoir tranquillement ôté ses vêtements mouillés, les raccompagna le long de la plage ; il parlait beaucoup, vite, d'une voix sourde. Des jeunes gens assis sur le sable l'appelèrent ; il s'arrêta. Une voix d'homme cria :

— Aldrouze!

François Lebout, avec qui Olivier avait fait ses études de droit, se levait d'un bond, trébuchait, se redressait, courait vers lui.

... Et tout changea. François et ses amis, qui se baignaient jusqu'alors sur la plage de Trégal, vinrent désormais sur celle de Portsaint. Avec sa femme — un petit moineau noir qui penchait la tête de côté pour écouter, et qui ressemblait un peu à la bonne de Pierre — François habitait une villa que son père leur avait louée pour l'été.

Olivier regrettait la période où ils étaient seuls tous les trois, Pierre, Anne et lui, graves, attentifs à ne pas se blesser, tremblant d'altérer l'entente délicate, la camaraderie douloureuse dont ils empruntaient le secret à leurs souvenirs. Mais il ne cherchait pas à éviter le groupe de François, où Anne semblait se plaire. Nicolas la faisait rire, qui ne riait presque jamais lui-même ; il assistait à leur gaieté avec une froideur railleuse et tendre ; sûr de lui, il était plein d'étranges prévenances. Toujours le premier et le plus discret à payer les consommations, les crêpes, l'essence, les glaces, il faisait claquer sa langue avec mépris quand d'autres protestaient que c'était leur tour, ou lui proposaient de partager. Il arrivait rarement chez François, le soir, sans apporter quelque bouteille, ou des gâteaux bretons, ou un disque acheté à Brest, ou des oranges parce qu'Anne les aimait. Il se vengeait des remerciements trop vifs : sa langue claquait, son visage se fermait, il

lançait quelque trait méchant d'une voix sourde et siru-
peuse.

Quand ils se retrouvaient tous les trois, à la tombée
du soir, franchissant la barrière, montant l'allée jusqu'au manoir où Pierre venait de plus en plus souvent
dîner, Olivier demandait parfois : « Vous voulez encore
retourner chez François ce soir ? Vous ne les trouvez
pas un peu collants ? » Anne répondait sans le regarder : « Quelquefois... peut-être... mais François a de si
bons disques » ou bien : « Reconnais que Nicolas est
très drôle. » Et parfois : « Décidément je trouve Ariane
ravissante... Pas toi ? » Il se taisait. « Je crois que tu
lui plais... » ajoutait-elle. Il haussait les épaules, poussait la porte d'entrée, et les laissant passer devant lui
regardait la haie d'hortensias d'où montait, vers le ciel
encore clair, dans l'odeur de l'été, la nuit.

De ces journées-là, trop remplies, trop rapides, où il
ne profitait pas d'Anne, et dont la dispersion l'engour-
dissait, il n'épuisa jamais toute la saveur ; ne pouvant
s'abandonner tout à fait à l'insouciance générale, ni se
retirer dans sa détresse solitaire, il ne les vivait qu'à
demi, à regret, — mais il devinait que le recul, le déta-
chement désespéré de la mémoire leur rendraient plus
tard leur plénitude.

Le pique-nique au Menez-Hom, le voyage à Ouessant,
les jumeaux descendant vers la mer en marchant sur
les mains, la verte et blonde Ariane tournant la tête et
souriant, avec cette douceur qui embrumait ses yeux

quand elle les posait sur les siens, « elle ne te regarde pas, disait Anne ; elle te rêve... »,

ces images mêlées de cris, de phrases retenues au hasard, « j'ai une faim de loup ! en arrivant nous mangerons les jumeaux », « le ballon ! Olivier, le ballon ! » criait Anne,

mêlées au goût du cidre, des sablés, à l'odeur du vieux bois des bahuts bretons dans les crêperies de Locronan, au picotement du sel sur ses épaules après le bain, « le ballon, Olivier ! le ballon... », et lui, stupide, ne bougeant pas, la regardant, l'écoutant crier « le ballon, Olivier, le ballon ! » les sourcils tendus, prête à battre des mains, ses cheveux noirs mouillés collés contre ses joues « Olivier ! », et il courait enfin, ramassait le ballon et le lui lançait sans rien dire,

ce sont ces images, ces souvenirs sans importance, qui, plus tard, le feront souffrir : quand, le visage errant derrière la vitre, face à la rue jonchée de feuilles qu'un balayeur poussera dans le ruisseau, il regardera passer des enfants qui porteront leur cartable en bandoulière, sauteront à cloche-pied sur les feuilles, noirs et légers, pépiant, les jeunes écoliers, les enfants d'octobre, les successeurs des hirondelles... jusqu'au moment où il verra ces souvenirs d'été se dissoudre dans le ciel gris ; les cris qui l'auront fait trembler s'apaiseront, « le ballon ! Olivier, le ballon... » ne sera plus qu'un chuchotement ; puis il n'entendra plus rien, l'odeur même de la mer disparaîtra, tout l'été refluera au fond de sa mémoire. Alors le désert, le silence, le froid qui l'étoufferont, ressembleront à ceux qu'il sentait déjà poindre au cœur des chaudes et turbulentes journées d'août, quand l'eau du bain lui paraissait plus froide que la veille, le soleil plus pâle, les feuilles moins vertes, les jours moins longs, et qu'il imaginait le moment où règnerait sur l'océan blanchi, sur les villas fermées, sur la plage où ne bougeraient plus que les anneaux du portique abandonné, l'hiver breton.

A Ouessant, ils déjeunèrent à l'hôtel de la Duchesse Anne. Le ciel était couvert. Ils prirent un cognac au bar. Les jumeaux, excités par le voyage et la désolation des lieux, jonglaient avec les mandarines du dessert.

— Qu'est-ce que ça signifie, déjà, le nom du bateau ?

— Enez Heussa ? L'île de l'épouvante.

— Quelle belle île, Anne, pour un voyage de noces ! dit Nicolas.

Il se détourna un instant pour régler l'addition. François releva le col de son imperméable, avec un mouvement canaille des épaules. « Alors ? Prêts pour l'assaut ? »

Ils partirent ensemble pour le phare du Creach, marchant de front sur la route, mais lorsqu'ils eurent visité le phare il s'égaillèrent dans les rochers, des groupes se formèrent, Olivier se retrouva seul. Une petite bruine invisible tombait, estompant les contours des rochers, noyant toutes les couleurs — même l'herbe semblait grise. Il avança sur une pointe que les vagues, brisées par des récifs, ne battaient plus que de leur écume. Du rocher où il s'appuyait, il les vit passer au loin, brouillés dans la brume d'Ouessant, Nicolas, François et sa femme, puis les jumeaux et Ariane, enfin Pierre et Anne, chaque groupe à une trentaine de mètres derrière l'autre, défilant d'une démarche lente, étouffée, ainsi que des souvenirs. Ils étaient trop loin, à présent, pour qu'il pût les rejoindre avant qu'ils ne disparussent de l'autre côté de la pointe; s'il criait, le vent emporterait son cri; et les gestes qu'il aurait pu faire pour les appeler, personne ne tournerait la tête pour les voir.

Ils disparurent.

Au loin, par deux fois, la bouée du Creach hurla. Rien ne bougeait sur la lande, que les formes floues de quelques moutons. Olivier resta plusieurs minutes immobile, face au vent, les mains enfoncées dans les poches de son suroît jaune. La tête un peu rejetée en arrière, seul au-dessus des arènes de la mer, il regardait charger les vagues.

De nouveau il entendit la bouée — deux coups prolongés qui ne ressemblaient pas à une plainte, mais au hurlement inexpressif d'un sourd-muet ou d'un idiot. Les autres aussi, sur d'autres rochers, l'entendaient. Nicolas tournait vers la bouée son mufle endolori, criant « voilà, j'arrive », Ariane et les jumeaux riaient tandis qu'un peu plus loin François, sa moustache rousse au vent, deux flammes rousses furetant dans ses yeux de rat, entourait l'épaule de sa femme comme pour la protéger du bruit.

A quoi bon les rejoindre ? Qui l'attendait ? Il était seul. Simplement, la présence des autres, leurs questions et leurs cris lui dissimulaient parfois sa solitude, formaient entre elle et lui comme un écran dont il éprouvait à cet instant la transparence et l'irréalité. Une force douloureuse le traversa, il pivota lentement sur lui-même — les rochers déchiquetés, noirâtres, le phare lointain, la lande noyée, les moutons, les rochers

— et il lui sembla faire d'un seul regard le tour de toute la terre. « Personne n'existe » murmura-t-il.

Un chien noir, le museau rasant le sol, suivait une odeur dans la lande ; il disparut quelques secondes derrière un rocher isolé, pareil à un moine en prières. Lorsque Olivier se retourna, une traînée de soleil traversa les nuages et répandit sur les flots une lumière blême. Il eut faim, sans savoir de quoi, il lui sembla grandir, devenir lumineux lui-même, le vent coulait dans ses veines et il sentait battre son cœur... Mourir était impossible. Il ne souhaitait rien, il n'avait rien à perdre, il était libre.

Le soleil s'éteignit.

Maintenant, au fond de sa poche, sa main pressait machinalement une mandarine qu'il avait prise à l'hôtel ; il avait pensé la donner à Anne, dont c'était le fruit préféré, pendant la promenade. Mais Anne en ce moment marchait au bras de Pierre, quelque part sur les rochers d'Ouessant ; sans doute s'étaient-ils éloignés des autres groupes, pour se rapprocher l'un de l'autre ; et ils avaient trouvé quelque grotte, quelque crique abritée du vent où ils s'embrassaient. Il pela la mandarine, jetant les écorces à la mer qui les faisait glisser quelques secondes et les engloutissait. Elle posait peut-être la tête sur l'épaule de Pierre, sa douce joue contre l'imperméable givré de sel ; Pierre la repoussait légèrement pour la regarder, puis de ce geste vulgaire qui lui convenait si mal, dont il avait pris par naïveté l'habitude exaspérante, il lui soulevait le menton du bout de l'index.

— J'ai froid, dit-elle. Si on rejoignait les autres ?

Elle tournait le dos au sentier par où ils étaient descendus, entre les rochers, jusqu'à la crique. Une expression inquiète traversa le visage de Pierre. Aussitôt il sourit.

— Les autres, je commence à en avoir un peu marre... Pas vous ?

— Non, je trouve Nicolas très drôle.

Au loin la bouée hurla. Anne posa la main sur son bras : « Avouez qu'il vous fait rire... » ; mais, comme si elle l'avait blessé, il resta sans répondre, regardant fixement les rochers derrière elle.

Un chien bloquait l'entrée du sentier : haut sur pattes, le poil noir, lisse et mouillé, les yeux rougeâtres ; le vent ne soufflait que par intervalles dans la crique et ils pouvaient entendre le chien gronder doucement.

— Allons, cria Pierre, veux-tu retourner garder tes moutons !

Le chien ne bougea pas ; il les regardait. Après plusieurs secondes, comme si la voix de Pierre parvenait seulement jusqu'à ses oreilles droites et pointues, il s'étira sur ses pattes de derrière et gronda un peu plus fort. Tout à coup il avança vers eux d'un trot déséquilibré, dans le bruit des galets qui roulaient sous ses pattes. Puis il s'arrêta, braquant toujours sur eux ses prunelles fixes, attentives, secrètes et sanglantes. La bouée hurla de nouveau.

Pierre se baissa et ramassa un galet.

— Qu'est-ce qu'il nous veut ? murmura-t-il. Il n'a pas l'air commode.

Au même instant, Anne vit le ciré jaune d'Olivier glisser sur la crête des rochers ; elle appela ; il lui fit un signe de la main et s'engagea sur le sentier. Le chien n'entendit pas Olivier approcher et le vent qui soufflait

58

du large l'empêcha sans doute de le flairer; Olivier lui donna distraitement deux petites tapes bourrues sur le museau et continua d'avancer, indifférent. Puis il tendit un bras vers l'horizon.

— Le temps va se lever. C'est dommage...
et il s'arrête en face d'eux.

— Où étais-tu ? dit Pierre. Nous t'avons perdu.

— Vous avez perdu tout le monde... Où sont les autres ?

Pierre baissa la tête et regarda ses mains; l'une d'elles tenait encore le galet. Il le jeta loin de lui et vit le chien courir après.

— Allons les rejoindre, dit-il. Anne s'ennuie d'eux.

— Je n'ai jamais di, ça !

Olivier les prit tous deux par l'épaule, avec un rire doux et paternel: « Anne n'aime que ce qui lui manque » murmura-t-il.

Ils avaient quitté la crique et revenaient vers Lampaul en longeant le bord des falaises. Le chien les suivait, se frottait parfois contre les jambes d'Olivier; brusquement il disparut. Le soir tombait; Olivier s'arrêta. A l'Occident le ciel était rouge; le phare s'alluma. Une cigarette aux lèvres, il regardait la marche puissante de Pierre, son corps sanglé dans l'imperméable tabac — écrasant de sa taille et de son poids la silhouette menue, dissimulée dans son duffle-coat. Il les entendait parler mais il ne les comprenait pas; il les rejoignit et ils se turent. La côte qu'ils longeaient formait un demi-cercle autour du phare, leur seul repère, dont la lueur restait fixée sur leur gauche, toujours à la même distance, et il leur semblait ne pas avancer, glisser sans fin sur l'herbe encore humide, plantée de rochers qui se ressemblaient tous, dans une lumière pâlissante, hollandaise.

— Qu'est-ce que tu as, Anne ? Tu ne dis rien.

— J'ai les pieds mouillés.

Au loin, sur la route, une ombre en vélo passait, tapie sur son guidon. Tout à coup Olivier regarda Pierre :

— Combien de temps resteras-tu à Beyrouth ?

Pierre parut chercher sur le visage d'Olivier la réponse qu'il devait faire. « Quatre ans en principe » dit-il enfin. De nouveau ils se turent. Le vent était tombé et la mer ne faisait presque pas de bruit. A chaque minute, le rayon lumineux du phare glissait sur eux et s'éloignait.

— Et après ? demanda Olivier d'une voix neutre, sans curiosité.

De la même voix neutre, sans conviction, Pierre répondit :

— Je pense que je serai nommé en province.

— Combien de temps en province ?

Ils ne se regardaient plus. Ils ressemblaient à des écoliers qui poursuivent sous leur pupitre, avec leurs jambes et leurs mains,

— Encore quatre ou cinq ans. Ensuite Paris...
une lutte silencieuse, farouche,

— Jusqu'à la retraite ?
mais dont les visages somnolents ne reflètent rien :

— Mon Dieu oui.

— Et à quel âge prend-on sa retraite ?

— A soixante ans.

— Et... ensuite ?

Ils entraient à Lampaul. Pierre ne répondit pas. La rue mouillée luisait et Pierre revit un instant les tas de feuilles sur lesquels Olivier et lui se poussaient, les soirs d'automne, en revenant du lycée. Il aperçut Nicolas debout sur les marches de l'hôtel.

— Vous rentrez déjà ? cria Nicolas.

— Le jour est tombé, dit Pierre gravement

— Le maladroit ! dit Nicolas.

VI

Un matin, brusquement, les batteuses se mirent à chanter.

Et ce fut l'autre versant de l'été, le jour où Pierre découvrit, sur le rebord de sa fenêtre, une abeille morte. Rien n'avait changé sur la plage, l'air était toujours chaud, l'eau était toujours tiède, il ne manquait pas un joueur de volley-ball, les mêmes familles gisaient sous les parasols rouges ; la menace était impalpable, impossible à localiser — cette brume à l'horizon peut-être, que l'on ne pouvait déjà plus appeler une brume de chaleur et qui n'était pas encore une brume de septembre, légère, tiède, tendue, et derrière elle se retirait la lumière... Ou encore une imperceptible altération des visages — un front plus songeur, un sourire mélancolique, et parfois une phrase au hasard, « il serait temps de faire les cartes postales », ou même « nous rentrons la semaine prochaine ». Alors l'évidence éclatait : les fougères brunissaient, les hortensias se fanaient, les jours déclinaient plus vite, les abeilles mouraient — c'était l'autre versant de l'été.

Ce matin-là, sur la plage, Anne accepta distraitement

de venir seule avec Pierre, après le dîner, voir la Pointe
Saint-Mathieu; le soir, lorsqu'ils furent revenus tous
les trois dans le chant des batteuses, au moment de le
laisser derrière la barrière blanche elle lui dit:

— Vous devriez rester dîner...

— Il vaut mieux que je rentre. Je n'ai pas prévenu
Nicole.

— Alors dépêchez-vous. J'ai promis à François que
nous viendrions de bonne heure.

Ce n'était qu'une étourderie. Bien sûr. Une distraction insignifiante, car Anne non plus n'avait pas changé
— sauf peut-être une imperceptible altération du visage,
une nouvelle façon de sourire, ou de le regarder: sans
surprise, sans curiosité, comme un visage connu qui n'a
plus de mystère et ne s'échappera plus. Des étourderies, des distractions, ou le plaisir d'ouvrir la cage...
Par jeu. Pour voir.

— Encore François! dit Olivier. Mais on le voit
toute la journée, ça ne te suffit pas? Pourquoi n'iriez-
vous pas vous promener tous les deux? Vous n'êtes
plus jamais seuls ensemble.

— Oh... puisqu'elle a promis. Vous ne savez pas ce
que j'ai trouvé ce matin sur le rebord de ma fenêtre?

... une certaine façon de le regarder, des étourderies,
des détails; la cigarette qu'elle avait allumée dans
l'auto pour Nicolas; son insistance à rejoindre les
autres, quand ils étaient seuls sur la crique d'Ouessant; son obstination à laisser ses cheveux dénoués
dans son dos, alors qu'il lui préférait un chignon, ou
des bandeaux; le bruit des batteuses. « Mais Pierre, on
ne se fait pas des bandeaux pour aller sur la plage. »

« Puisque je vous dis que cela me fait plaisir... » « Bon, alors... demain. » Et le lendemain, dans le bruit des batteuses : « J'ai oublié. Demain... » le chant des batteuses, des étourderies, des regards nouveaux... Mais elle n'avait pas protesté quand il avait fixé la date de leur mariage, et quand ils étaient seuls ensemble elle se laissait embrasser comme d'habitude.

— Je ne sais pas. Qu'est-ce que vous avez trouvé ?
— Une abeille morte.

C'est l'autre versant de l'été, les batteuses bourdonnent, dès le matin leur monotonie accompagne Pierre sur le chemin du manoir, puis sur la route de la mer, jusqu'au tournant où elle s'efface devant les clameurs de la plage, les bruits de l'eau, « les enfants ! les enfants ! », les vagues. Et quand Pierre revient à midi et le soir, la mélopée surgit à nouveau, lointaine, paisible, dans l'odeur des foins, monte et descend, chaude et paisible, venant de plusieurs côtés à la fois — il y a sans doute plusieurs batteuses. L'une d'elles est assez proche pour qu'il puisse entendre, mêlé à sa plainte régulière, à sa lente reptation dans l'air âcre et brûlant où voltigent des balles de blé, le tam-tam saccadé du tamis, le glissement des courroies et les appels des moissonneurs. Même celle-là, pourtant, il ne la verra jamais.

C'était l'autre versant de l'été, mais personne ne semblait s'en apercevoir. Ils avaient fait la connaissance d'un Hollandais qui possédait un voilier ; Nicolas l'appelait le Hollandais volant; ils passaient des journées entières sur la mer. Quand le bateau virait de bord — la voile détendue claquant au vent, l'eau froissée, bouillonnante, giclant sur leurs visages, « Paré à virer ! » — ils devaient tous se précipiter de l'autre côté, pliés en deux pour passer sous la voile. Ils riaient, trébuchant, se poussant, et toute la journée Pierre devait subir leur folle et puérile gaieté, participer à leurs jeux, prendre leurs risques, un plongeon du haut d'un rocher de six mètres, une joute à mains plates debout sur le bord du voilier en pleine course — Olivier s'ingéniant chaque jour à compliquer le rythme paisible des vacances, à lancer des défis que les autres étaient obligés de relever tant il en parlait nonchalamment, comme d'une distraction innocente : « Tiens, si on plongeait ? » « Tu viens, Pierre ? on revient à la nage. » Nicolas, protégé par sa jambe malade, les encourageait de son dédaigneux sourire. « Paré à virer ! » Parfois Pierre se cognait au mât; il tombait; il s'empêtrait dans les cordages. Au début, on lui avait demandé de tenir la barre ou de manœuvrer la voile, mais dans ce sport d'adresse et de souplesse sa force musculaire ne lui servait à rien; il la déployait en vain, gauche, noueux, étreignant dans ses bras le mât chancelant, le torse en sueur, des traînées de sel sur la figure, criant pour obtenir des conseils que le vent, les palpitations de la voile et le froissement de l'eau giclant sur son visage balayaient, emportaient au large, jusqu'à ce que le bateau risquât de chavirer et qu'Olivier ou un autre intervînt. Dès lors, tranquille, il retournait s'asseoir, riant poliment avec les autres, se contentait de sourire quand on le regardait et de changer de côté quand —

65

dans le bruit de l'eau bouillonnante, les claquements de la voile et les cris — le bateau virait de bord...

Le soir tombe; ils se retrouvent tous les trois. Ils remontent la route que fait tanguer sous leurs pas le souvenir des vagues. Après le tournant, le bruit des batteuses s'élève de tous côtés, l'océan disparaît. Au même instant, presque chaque soir, Olivier l'interroge. Distraitement, une cigarette aux lèvres, et regardant ailleurs. Mais la patience, la ténacité de ses questions, la tranquillité même de sa voix sont chaque jour un peu plus obsédantes. « Est-ce que tu trouveras facilement à te loger, à Beyrouth ? » « Cela ne t'ennuiera pas de vivre à l'étranger ? » « Mais si tu es noté tu seras peut-être inspecteur ? » Pierre regarde ses paumes vides. Il s'agit toujours de son avenir. Fatigué, les oreilles bourdonnantes, il répond d'une voix monocorde :

— De toute façon ça ne m'intéresse pas.

— Qu'est-ce qui t'intéresse ?

— De garder du temps pour moi...

— Pour quoi faire ?

— Tu le sais bien. Pour écrire.

Et le lendemain soir, de la même voix inlassable, tranquille, une cigarette aux lèvres et regardant ailleurs, Olivier poursuit : « Mais crois-tu que tu auras le temps d'écrire ? » « Quel genre de roman veux-tu faire ? » « Oh, Olivier... tu es fatigant ; nous en avons déjà parlé cent fois. » Anne les écoute-t-elle ? Parfois, devant la barrière, Olivier conclut pensivement :

— Au fond, tu es un solitaire.

Ou bien :

— Tu n'es pas fait pour les vacances.

Et un soir :

66

— Dis donc, Pierre... Toi qui veux écrire des romans. Je pense à un personnage curieux: l'égoïste qui ne s'aime pas...

— Comment dis-tu ?

— L'égoïste qui ne s'aime pas.

Un après-midi, ils allèrent se promener tous les trois jusqu'à la baie de Bertheaume.

— Vous avez vos maillots ? dit Anne. Si on traversait la baie à la nage ?

— Non. Tu ne nages pas assez bien.

Elle haussa les épaules.

— Je nage aussi bien que toi. Je n'ai pas de mal, d'ailleurs.

— Ah oui ? Tu fais 100 mètres en 68 secondes ?

— Je ne sais pas qui t'a chronométré. On a dû se tromper d'aiguille.

Pierre les regardait parler.

— Parfait, dit Olivier avec calme. Nous allons voir comment tu t'en tires.

Il la souleva de terre et, la tenant couchée dans ses bras, s'avança jusqu'au bord du rocher. Le peigne qui maintenait le chignon d'Anne se détacha, ses cheveux noirs tombèrent tout d'un coup, se balançant au-dessus de l'eau. Elle raidit les jambes. « Eh bien, lâche-moi... dit-elle tranquillement. Qu'attends-tu pour me lâcher ? » Pierre regardait leurs corps en croix.

— Tu n'oses pas, hein ? dit-elle. C'est bien de toi, ça. Tu n'achèves jamais ce que tu commences.

— Tu crois... ?

67

Elle reparut aussitôt à la surface, s'agrippant au rocher. Olivier feignit de l'aider à remonter, la lâcha de nouveau, elle disparut. « Brute ! Brute sournoise. Tu me le paieras ! »

Pierre regardait Olivier penché au-dessus d'elle.

— Tu vois : non seulement j'achève, mais je parachève.

Elle remonta un peu plus loin, marcha tranquillement sur lui, sa chemisette sans manches et son pantalon pied-de-poule collés au corps, les cheveux raides, ruisselants. Elle avait perdu une de ses sandalettes dans l'eau et d'un coup de pied, elle se débarrassa de l'autre. Puis elle s'arrêta. Pierre la regardait. Elle ôta sa chemisette, son pantalon, et les jeta sur le sable. Elle se remit en marche, dans son maillot bleu ciel. Pierre la regardait marcher. Olivier, d'un bond de chat, lui échappa. Pierre les regardait courir, passer devant lui, tourner autour de lui, tomber enfin à ses pieds dans le sable, Anne à genoux sur l'estomac d'Olivier et lui martelant la poitrine à coups de poings. Elle le frappait réellement, de toutes ses forces, les dents serrées, les cheveux dans les yeux ; une bretelle de son maillot avait glissé et Pierre voyait une mince lanière de peau blanche sur son épaule brunie. Elle se redressa enfin. Olivier riait ; sur sa poitrine, deux traces de griffe. Ils riaient maintenant tous les deux en se regardant.

C'était l'autre versant de l'été. Lorsqu'il s'éveillait, dans le bruit des batteuses, Pierre pouvait lire l'heure au soleil rond et blanc qui scintillait entre les branches

d'un sapin devant sa fenêtre. Un matin il ne vit pas
le soleil ; le ciel était parfaitement bleu. Il regarda sa
montre : il était plus de onze heures.

D'habitude il dormait peu, s'éveillait tôt et allait
flâner devant le manoir, en attendant que s'ouvrissent
les volets d'Olivier. Il patientait une dizaine de minutes et les rejoignait dans la salle à manger où Anne, en
pyjama, les paupières gonflées, lui tendait une joue
tiède qui sentait le sable et la nuit. Berthe, en peignoir
blanc molletonné, le menton luisant, la bouche pleine,
avalait une gorgée de café au lait en tenant son bol à
deux mains comme un calice — il pouvait voir sur son
cou s'élever et s'abaisser un coussinet de graisse,
comme une gorge de pigeon qui roucoule — et disait
sans sourire, de sa voix de citronnelle : « Ah ! voilà le
gentilhomme du petit lever. » Olivier relevait sa mèche
d'un coup de tête : « Comment fais-tu pour te lever si
tôt ? »

Il est plus de onze heures. Il a raté quelque chose,
un événement capital s'est produit ou va se produire,
puisqu'il n'est pas là — c'est une loi de sa vie, son
absence porte bonheur ; « Nicole ! » Il s'est habillé
d'une traite, il a bu son café sans manger, il a couru
jusqu'au manoir sans reprendre haleine et il jaillit
dans la salle à manger où il s'immobilise brusquement,
les jambes tremblantes, l'œil immense. Un courant d'air
fait claquer la porte derrière lui.

— Ils ne sont pas là ?
— Non, ils ne sont pas là.
— Mais où sont-ils ?
— Ils se promènent. Je ne sais pas...

Assise devant un guéridon à trois pieds, Berthe se

tire les cartes et répond sans le regarder ; elle est encore
en robe de chambre.

— Ils ne m'ont pas attendu...

— Vous croyez ? » Elle recouvre le valet de pique.
« Pourquoi vous auraient-ils attendu !

— Mais voyons, Berthe... je viens les chercher tous
les matins. Que se passe-t-il. Ils ne vous ont rien dit
pour moi ?

— Tss... » D'un revers de main elle brouille les cartes. « Louise ! Le pâté brûle, je le sens d'ici. Mais qu'est-
ce qu'elle fait ?

Elle se lève, il la suit dans la cuisine, tourne derrière
elle, se penche comme elle, machinalement, au-dessus
du four, si bien que Berthe, se redressant, le heurte de
la tête.

— Mais qu'est-ce que vous cherchez ? Je vous jure
qu'ils ne sont pas dans le four. Voulez-vous une tasse de
café ?

Il hésite ; il semble attendre un ordre.

— Il y a longtemps qu'ils sont partis ? Ils sont sûrement sur la plage...

— Comment voulez-vous que je le sache ? Nous ne
nous parlons pas.

— Vous ne vous parlez pas ? Que s'est-il passé.

— Mais rien, justement ! Comme il ne s'est rien
passé nous n'avons rien à nous dire, et n'ayant rien à
nous dire nous ne nous parlons pas. Elle sourit triom-
phalement, les mains sur les hanches. Prenez donc du
café, vous êtes vert.

— Pourquoi faites-vous semblant de ne pas les
aimer... » Il hausse les épaules. « Vous vous rendez
malheureuse à plaisir.

70

Les joues de Berthe s'empourprent. Elle ouvre deux fois la bouche, mais sans parler. Tout à coup elle se met à sourire, pose sur l'épaule de Pierre sa petite main boudinée, et dit d'une voix satisfaite :

— Mon pauvre Pierre... vous voyez toujours les choses telles qu'elles sont : c'est comme si vous étiez aveugle.

Il court le long de l'allée entre les chênes, franchit la barrière, court sur le chemin, jusqu'au calvaire, tourne vers la route — abeilles, batteuses, soleil, fleurs de genêts défilant le long des haies — court sur la route jusqu'au tournant — où brusquement il s'immobilise, hors de portée du bruit des batteuses, regardant la plage où courent des baigneurs minuscules, entre la lisière blanche des vagues et les coquillages des parasols. Là, il se calme. Les mains plantées dans les poches de son short, droit sur ses belles jambes brunies, il regarde plusieurs minutes ces taches, ce grouillement d'insectes. Son visage n'exprime qu'une tranquillité froide, contemplative, presque minérale, comme si les baigneurs au-dessous de lui appartenaient à une espèce différente de la sienne et que leur va et vient de la mer à la plage lui parût dénué de sens.

Maintenant il marche à son tour sur le sable, en ligne droite, la figure toujours froide et le regard fixe, ses larges épaules parfaitement immobiles. Soudain il s'arrête, raide dans le soleil comme un immense soldat de plomb. D'un mouvement d'automate il penche la tête, puis la tourne vers la mer, puis de nouveau vers le sable à ses pieds — et il s'assied.

Il reste assis jusqu'à leur retour, au milieu de vêtements épars, étendus sur des serviettes de bain, entre la chemisette crème d'Olivier et le pantalon pied-de-poule qu'Anne met presque toujours pour venir sur la plage. Au bout d'un moment, il a saisi l'une des balle-rines blanches d'Anne et l'a retournée entre ses mains, l'observant avec la même curiosité tranquille, indécise, comme un objet insolite, tombé d'un autre monde. Mais peut-être étaient-ce ses propres mains qu'il observait, la lenteur étonnée de leur mouvement, ou bien le scin-tillement du sable au-dessous d'elles — ou rien... ?

— Eh bien, Pierre ? Tu ne dis rien...
— Que veux-tu que je dise ?
— N'importe quoi, comme d'habitude ?

Pierre se met à rire. Comme toujours lorsqu'il fait chaud, les volets de la salle à manger du manoir sont mi-clos. Une mince lueur passe entre les battants. Sur le bahut breton, une coupe d'étain remplie de prunes, de poires et de pommes accentue l'odeur naturelle, fraîche et fruitée, de la pénombre.

— C'est égal, dit Berthe ; on peut tout vous dire, rien ne vous blesse.

— Oh! vous savez, Olivier et moi... Depuis le temps que nous nous connaissons.

Les lèvres pincées, elle baisse les yeux sur sa four-chette. « Tout de même... » Elle pique un morceau de porc froid et ajoute distraitement : « Le fait est que vous avez l'air inquiet. »

— Mais non. Je vous assure.

Il se penche en arrière et la lame de jour coupe aus-sitôt son visage. Il s'échappe en avant, pose ses mains à

plat sur la table, les regarde. « Quand vient la Bag-
noz... » fredonne Olivier. Anne éclate aussitôt de son
rire d'enfant. « Vous savez qu'il y a la fête foraine à
Brest ? Il ne faut pas manquer ça... »

— D'ailleurs, dit Berthe, inquiet n'est pas le mot. En
fait, vous avez l'air triste.

— Triste ? Pourquoi serais-je triste...

— Justement. Il n'y a pas de raison. C'est pour ça que
je le remarque. Vous êtes en vacances, vous allez épouser Anne, il y a la fête à Brest et vous avez l'air triste.
Qu'est-ce que vous voulez que j'y fasse ? Je suis sûre
que tout le monde est d'accord. Vous avez l'air triste.

Pierre tourne la tête et regarde les volets, derrière
lesquels tremble l'été. Sous la table, ses mains froissent
sa serviette, puis la retirent et la posent sur la nappe.
Il saisit son verre vide et semble hésiter à le remplir.
« Qu'est-ce que c'est, la Bag-noz ? »

— Ça y est ! J'ai trouvé, j'ai trouvé ! s'écrie Anne en
secouant ses poings serrés. Depuis longtemps je cherchais ce qui manquait sur le visage de Pierre : il n'a
pas de sourire. Il rit quelquefois, mais je suis sûre de
ne l'avoir jamais vu sourire. » Maintenant, les mains
jointes, elle dévisage Pierre avec ravissement : Comment se fait-il qu'il ne sache pas sourire ?

— Mais ne le regarde pas comme ça, dit Berthe, on
dirait que tu l'aimes.

— Mes enfants ! gémit madame Aldrouze. Laissez
donc ce pauvre Pierre tranquille. Vous voyez bien que
vous l'ennuyez : il ne mange même plus.

— Je vous remercie, madame, j'ai fini.

Olivier se lève, s'étire en bâillant puis, les mains sur
les hanches, lance d'une voix exultante.

73

— Alors ? vous retournez sur la plage ?

Pierre se lève à son tour. Il regarde Anne qui ne bouge pas.

— Moi, dit Olivier, je commence à en avoir plein le dos, de la plage, du soleil et des jumeaux. Je vais faire une petite sieste. Comme Berthe.

Un sourire aux lèvres, il contourne la table de son pas souple, et disparaît dans la fraîcheur du vestibule.

— Olivier ! crie Pierre. Je peux monter avec toi ?

Il reste immobile, tremblant, le front couvert de sueur, la main entrouverte à la hauteur de la taille, comme s'il allait saisir une arme. Au bout de plusieurs secondes, il crie de nouveau « Olivier ! » Puis, les yeux baissés, il se rassied. « Il ne m'a pas entendu », murmure-t-il.

— Mais Pierre, vous savez bien que vous êtes ici chez vous, dit madame Aldrouze. Vous pouvez monter quand vous voulez.

— C'est vrai, dit Berthe. Je ne comprends pas que vous hésitiez. Deux amis comme vous..

A travers les pins, sur la colline, le soleil éclaire la chambre de Pierre. Elle est vide ; le lit est fait ; la fenêtre est ouverte. Une guêpe bourdonne contre les fleurs de papier du mur ; un réveil tictaque sur la table de nuit : deux heures et quart. L'ombre avance d'un mouvement très lent, mais perceptible, sur la carpette au pied du lit. La valise de tissu écossais et la mallette de cuir jaune reposent sur le dessus de l'armoire. Un livre de la collection des « Feux Croisés » est posé à l'envers

à côté du réveil. Le chant des batteuses, qui s'était tu à
l'heure du déjeuner, rampe de nouveau dans la campagne — sa respiration lente, paisible, monotone, son expi-
ration courte et rauque. Parfois, dans cette chambre
vide, une latte du plancher craque ; parfois les rideaux
de gaze bougent et se froissent. Un bouquet de fleurs
d'ajoncs fait maintenant dans l'ombre une tache d'or.
Les batteuses se sont tues.

Le soir tombe. On se sépare. Sur la plage de Portsaint, dans les rues du village que traverse une route
droite et bleutée, sur toutes les plages de Bretagne, à
la croisée des chemins, aux portes des hôtels, sur les
marches des seuils, on se sépare. A la sortie de Portsaint, la route fait quelques coudes et échappe aux dernières maisons qui fument, accrochées à ses flancs.
Vous vous êtes séparés, la nuit tombe, vous êtes seul
et vous fermez les yeux sur la nuit qui tombe et qui
vous invite à mourir. Qui attendiez-vous ? Qui n'avez-
vous pas su reconnaître ? La route fuit vers d'autres
villages, les volets se ferment sur elle, la route fuit
éperdument vers Brest, poursuivie par sa solitude, et
franchit le pont suspendu au-dessus de l'Arsenal. Au
fond du port, la clochette d'un bateau de guerre tinte.
Au loin, vers la place du vieux Marché, tourne la musique de la fête foraine.

— Vous avez envie d'y aller, vous, Anne ? à cette
fête foraine...

Elle est assise sur le canapé, les jambes repliées de
côté, dans le salon de la villa de Pierre (avec sa large
jupe rouge d'où émerge son buste mince elle ressemble

75

à une fleur renversée), et Pierre lui tourne le dos, debout à la fenêtre ouverte, regardant le jardin dans la nuit.

— Dites, Anne... Vous avez envie...

— De toute façon c'est convenu. Olivier nous attend au manoir; on a dit aux autres qu'on passerait les prendre.

Il s'arrête au-dessus d'elle, les jambes un peu écartées, vigoureux. Pas un nerf de son visage net, pas un muscle de son corps ne bouge. Elle, caressant du dos de la main sa bouche entrouverte, le regarde avec une sorte de ruse, de raillerie légère (Quel jeu joue-t-il si mal ? Ou : Sera-t-il longtemps de taille à se taire ?), et sous sa pommette gauche, la petite fossette frémit.

— Il me semble, dit-il sans bouger, que nous nous entendons moins bien depuis quelque temps.

— Moi je ne trouve pas. C'était très bien, ce dîner.

— Quand nous sommes seuls c'est différent.

Il s'assied près d'elle. Un papillon jaune qui vient d'entrer par la fenêtre ouverte se brûle à la lampe et, comme un pétale de genêt, tombe. Pierre se penche en avant. Le crissement des grillons devient strident. Il saisit Anne aux épaules et la renverse en arrière :

— Fermez les yeux.

Il regarde, sur le visage bruni, les deux paupières blanches, les lèvres entrouvertes.

— Vous savez une chose, Anne ? Je vous préfère les yeux fermés.

— Vous êtes charmant; pourquoi pas morte ?

— Ah... ? Qui sait.

Du dos de la main, elle défroisse sa jupe. « Eh bien ? si on y allait, à cette fête... »

VII

Du tranchant de la main — un coup nerveux, pareil à la fin d'un salut militaire quand la main tendue retombe — Olivier frappe au poignet le gitan qui lâche Nicolas et se retourne. « Qu'est-ce qu'ils font ? » « Henry ne t'en mêle pas. » Une créole en robe rose s'arrête un instant, un grain de beauté sur sa pommette charnue — souriant sans raison.

— Il ne m'a pas payé ! Il est parti sans me payer ! Ça vous regarde, vous ?

— Fichez le camp.

On entend, à intervalles réguliers, le bruyant éboulis métallique et les cris du scenic railway.

— Que devais-je payer ? dit Nicolas lorsqu'ils furent seuls : Je n'ai rien pris. Je ne vous savais pas si dangereux.

— Le plus drôle, c'est que je ne suis pas dangereux. Mais je fais peur... on n'ose pas me frapper ; je ne sais pas pourquoi...

— C'est peut-être, dit Nicolas d'une voix caressante, parce qu'on voit déjà vos blessures.

Un matelot américain qui s'éloignait d'un stand de

77

tir, posa sur Anne un œil violent. « En attendant, dit-elle, nous avons perdu Pierre. » Puis, un peu plus tard, pressée contre Olivier : « Si Pierre était là !... » mais les lèvres d'Olivier étaient trop sèches, le fracas du wagonnet était trop violent, la descente suivante approchait trop vite — et qu'avait-il à répondre ?

Pierre, cependant, les cherche le long des allées poussièreuses, entre les baraques. Il croise une créole en robe rose, un grain de beauté sur sa pommette charnue. Il ne se hâte pas, il n'est pas inquiet. Il regarde autour de lui avec cette distraction consciencieuse qui lui donne l'air, non d'observer, mais d'essayer seulement de percevoir : les étincelles des autos-tamponneuses, des cris de joie dans un fracas de rail, une odeur de graisse chaude et de sucre, des militaires qui flânent, une créole en robe rose...

Lorsque Nicolas le rejoint, allumant un petit cigare noir à demi consumé, Pierre ne tourne pas la tête.

— Vous avez vu Anne ?

— Elle est au scenic railway. Avec Olivier. Depuis quand la connaissez-vous ?

— Eh bien... je l'ai connue en même temps qu'Olivier, naturellement — puisque c'est sa sœur.

Il hausse les sourcils. Nicolas s'arrête devant une buvette et regarde glisser, au bout de l'allée, une créole en robe rose.

— C'est vrai, dit-il. Je ne pense jamais que c'est sa sœur. Il y a longtemps que vous l'aimez ?

— Ecoutez, Nicolas : je n'aime pas beaucoup vos

questions. Est-ce que je vous demande pourquoi vous boitez ?

— Mais je vais vous le dire: c'est un accident de ski.

— Tiens. François nous avait dit que c'était une chute de cheval.

— C'est bien possible. On me l'a demandé très souvent et j'ai horreur de raconter la même histoire.

Il lampe une gorgée de bière, plisse les yeux, et se caresse du bout des doigts, lentement et voluptueusement, les lèvres:

— Croyez-vous qu'elle plaise à Olivier ?

— Qui... Anne ?

— Oh! Olivier... le labyrinthe. On essaie ?

— Mais non! quelle idée étrange. Ariane.

— Est-ce que je sais ?

— Quel est son type de femme ?

— Il n'a pas de type de femme.

— Mais... à Paris, vous devez bien connaître les filles avec lesquelles il sort ?

— Il ne sort pas avec des filles.

— Les aime-t-il seulement ?

— Et vous ?

— Tous les hommes sont misogynes, dit Nicolas en souriant. Mais Olivier, c'est différent: c'est le plaisir qu'il n'aime pas.

Anne souriante, relevant sur ses avant-bras les manches de son chandail marine, et Pierre qui vient de pénétrer à son tour dans le labyrinthe, les mains en avant comme un aveugle, marchant l'un vers l'autre, vont se rejoindre, se toucher... quand une vitre, dont la transparence les abusait, au dernier moment les sépare : les voici maintenant dos à dos, cherchant chacun leur chemin, dans les galeries du labyrinthe.

Pierre tourne, les mains en avant, le visage placide et ne souriant jamais ; les parois de verre étouffent les cris, la musique, le fracas de la fête, et le monde extérieur est un monde aux mouvements absurdes (qu'Anne et Olivier viennent de rejoindre, debout maintenant aux côtés de Nicolas), un monde silencieux comme un rêve qu'il regarde et qui le regarde. Parfois il croise la créole en robe rose qui rebondit contre les vitres avec une grâce tranquille ; parfois un jeune homme qui flâne indifférent et comme sûr du trajet.

Ariane s'arrête à son tour devant le labyrinthe. « Si jamais vous avez un fil sur vous, glisse Nicolas, c'est le moment. » Les jumeaux la rejoignent ; l'un d'eux a gagné une hideuse poupée de coton qu'il berce en regardant Pierre. Deux militaires s'approchent. Un noir abaisse les coins de la bouche, en hochant la tête, de plus en plus bas, comme s'il voulait mordre l'épingle de sa cravate.

Pierre voit se multiplier les spectateurs ravis ; il avance, tourne et revient sur ses pas et refait le chemin qu'il vient d'effacer, suivant et brouillant à la fois sa propre trace, les mains en avant, avec une application distraite. Son visage est maintenant mouillé de sueur, et Olivier devine qu'une panique froide commence à le gagner quand la créole, suivie du jeune homme, découvre enfin la sortie ; il s'est élancé pour les rejoindre mais un panneau posé là tout à coup, pour lui seul, l'a arrêté si bruyamment que l'on entend au dehors résonner le verre.

— On ne va tout de même pas rester là toute la soirée à le regarder comme une bête », dit Anne. Elle rougit, frappe du pied et se détourne. « Viens, Olivier, on va faire un carton.

Pierre, que sa promenade incohérente a ramené près de l'entrée, les voit s'éloigner, du fond de sa cage de verre. Tout à coup il se jette en avant, bouscule un groupe qui s'engage dans la galerie, saute par-dessus le portillon et rejoint Anne.

— C'était un numéro ?

— Ça ne m'a pas plus amusé que vous, dit-il sèchement.

— Et puis, dit Nicolas, ce n'est plus drôle depuis qu'ils ont enlevé le Minotaure.

Pierre ne sourit même pas ; ils marchèrent un moment sans rien dire. Tout à coup, Anne se mit à rire « Quand je pense que vous pourriez y être encore !... » Elle passa sur la nuque de Pierre une petite main folle, et il eut peut-être l'impression cruelle qu'elle l'aimait pour sa faiblesse. Personne ne s'arrêta devant les stands de tir.

Très vite, l'odeur de la fête foraine s'effaça devant une odeur de mazout, de vase et d'eau de mer ; Pierre et Olivier, qui avaient laissé les autres dans les autos-tamponneuses, entendirent passer dans la nuit un cri d'oiseau de mer.

— Mais à quoi sens-tu qu'elle t'échappe ?

— Oh... dit Pierre, peu importe.

Ils marchaient. Un bar éclairé passa comme une gare. D'une rue voisine, une femme appela : « José (e) ! » Olivier haussa les épaules.

— « Peu importe » : voilà ton vice.

Sous l'enseigne rouge de l'hôtel Continental, un homme qui faisait les cent pas s'arrêta pour regarder sa montre. Ils marchèrent sans rien dire jusqu'au pont de l'Arsenal, et restèrent côte à côte à regarder l'eau lourde, silencieuse, où dansaient des hublots. Olivier leva la tête.

— Tiens, une étoile filante.

— Je me demande quel vœu tu es en train de faire, dit Pierre.

— Et toi... Une grande œuvre ? Un mariage d'amour ?

— Non, dit Pierre d'une voix fermée :... le désir de vivre. Si je me laissais aller, je crois que je mourrais.

— On ne meurt pas d'ennui.

— Non, pas d'ennui. De rien... Je mourrais comme ça, de rien. Je me refroidirais tout doucement et je mourrais sans me voir.

— Je n'aimerais pas cette façon de mourir.

— Tu ne risques rien. Ce serait bien la première chose que tu ferais sans te voir.

Il vit Olivier hausser les épaules et s'éloigner de son pas dangereusement silencieux — son pas unique, son pas ami — et il resta accoudé au parapet comme s'il voulait ne plus le suivre, le laisser s'enfoncer dans la nuit pour jamais. Quand il le rejoignit, il avança un peu la main, mais sans la lui poser sur l'épaule.

— Tu ne m'as pas dit ce que tu as demandé...

— Moi ? rien. » Les poings fermés, Olivier étira les bras ; il devait sourire dans l'ombre. « Tout ce que j'aime est à moi.

Ils revinrent vers la fête foraine. Ils ne parlaient pas. Ils regardaient cette ville dont l'aube ne se retire jamais tout à fait, laisse aux quais gris sa lumière, prête sa tristesse aux hôtels de passage, et son chant aux bateaux qui vont partir. Ils sentaient cette aube dans la nuit d'août, près du port, imminente, avec la sonnerie des réveils, l'odeur du café au lait, les tartines où le beurre trop froid s'étale mal, la sirène du bateau qu'on doit prendre, les mots que l'on évite et le regard que l'on n'ose pas croiser, les valises que l'on ferme et le dernier baiser que l'on retarde —

une aube, une séparation, rien de plus.

Juste avant la place bruyante, multicolore, Olivier s'arrêta.

— Au fond, pourquoi épouses-tu Anne ?

Ils disparurent dans la lumière.

VIII

Maintenant, au début de l'après-midi, sous prétexte de faire des courses à Brest ou quelque visite à des gens que Pierre ne connaissait pas, Olivier et Anne partaient souvent seuls tous les deux, ils le rejoignaient sur la plage un peu plus tard — parfois beaucoup plus tard. Il ne se plaignait pas, ne leur posait pas de questions. Il accueillait sa solitude avec la même résignation placide dont il offrait, quand il aurait dû être heureux, le décevant spectacle.

— Dimanche, dit Nicolas, il faudra aller voir le Pardon de Plougonvelin.

Il y eut une course cycliste à laquelle les jumeaux participèrent. « On a été les premiers... » « Ce n'est pas possible ! » « Si, disait l'autre, on a été les premiers à abandonner. »

Un jeune homme de l'hôtel des Bains, toujours solitaire, que Nicolas appelait l'intellectuel des cavernes, se fit piquer par un poisson ou un crustacé inconnu et fut malade.

Ariane perdit son soutien-gorge en plongeant du bateau ; blonde et douce, un peu molle, elle nageait autour du voilier comme une algue ; la femme de François lui tendit une serviette de bain qu'elle perdit également en remontant à bord. Les jumeaux composèrent un quatrain sur l'air de « Nous n'irons plus au bois » : Ils étaient si dodus — Qu'on voulait les pêcher — Nous ne les verrons plus — Elle les a cachés.

Il y eut deux jours de pluie.

Il y eut une devez-braz, une « grande journée », à la fin du battage.

Puis les batteuses se turent. La fin des vacances commençait.

C'était Pierre, maintenant, qui s'éloignait tout seul, le soir, le corps lourd de cette force inoffensive des bœufs, des chevaux de somme. Quand, après avoir laissé passer Anne, Olivier refermait derrière lui la barrière et se retournait un instant, Pierre arrivait à la hauteur d'un vieux tilleul qui poussait à droite du chemin. Olivier le regardait un instant marcher sous le feuillage mou, d'un vert fatigué ; alors, durant une très brève seconde, il était Pierre ; et il croyait sentir, bien que les fleurs en fussent tombées depuis longtemps, l'odeur désolée du tilleul.

Un soir où il remontait l'allée, tenant la main d'Anne dans la sienne, il entendit la barrière grincer de nouveau derrière eux. Pierre les fixait, une main appuyée au battant, immobile. « Qu'est-ce que tu veux ? cria Olivier. Tu as oublié quelque chose ? » Pierre ne répondit pas. « Veux-tu rester dîner avec nous ? Pierre ! Reste dîner avec nous... » Mais Pierre demeurait silencieux ; la prière aveugle qui montait de ses yeux semblait leur demander, non de l'aimer ni même de le rejoindre, mais simplement d'apparaître. Tout à coup il fit demi-tour et disparut derrière les arbres.

Ils se remirent en marche. Pierre allait se retrouver seul dans sa villa. A quoi emploierait-il sa solitude ? Olivier le savait capable de rester une journée entière sans rien faire de précis, ni rêver, ni s'ennuyer. Il hibernait. Il dînerait, servi par Nicole avec qui il échangerait quelques mots sans importance, puis il ouvrirait un livre, par exemple les *Confessions* qu'il lisait hier sur la plage (un peu de sable tomberait des pages) et, regardant de temps à autre sa montre... Olivier le vit, assis près de la fenêtre, au bord de la nuit d'août, ses larges épaules, son large front penchés sur le livre, lisant lentement, scrutant les mots de ses yeux froids de microscope — comme il aime les mots ! C'est ce que les mots désignent qu'il n'aime pas. Les visages et les êtres lui résistent, leur formule lui échappe — ou plutôt c'est toujours la même formule qu'il trouve : « égale zéro ». Olivier se souvint de la fête foraine... Pierre ne cessait jamais d'errer dans une cage de verre. Et pendant ces journées turbulentes, sur la plage, dans le voilier, même lorsqu'il semblait rire et prendre part à leurs jeux, il restait sûrement muet au fond de lui-même, regardant passer les visages et les jours comme une procession de silhouettes en deuil.

(— Eh bien, Olivier ! Tu n'as pas faim ? Tu ne manges pas...

— Monsieur rêve... dit Berthe. Vous vous souvenez quand ce cargo...)

... Pierre se lève peut-être, fait de son bras gauche replié un mouvement sec, tendant et tournant le poignet en même temps, comme se donne en boxe un crochet du gauche, et il regarde sa montre. Olivier revoit ce matin de janvier où, à la fin de la récréation — il restait un peu de neige au pied des arbres — il avait fait tomber Pierre d'un croc-en-jambe : sa montre s'était brisée. Alors, Pierre d'habitude si tranquille et si bon — cette bonté qui révélerait peu à peu sa source secrète : l'absence absolue de toute conviction — lui si patient, si benoît, avait tout à coup noirci de colère. En tremblant, il ramassa le boîtier défoncé, le jeta. Deux minuscules larmes roulaient sur ses joues. Olivier ne le vit pas pleurer, le jour de la libération de Paris, six mois plus tard, lorsque son frère cadet fut tué, debout à la fenêtre de sa chambre, par une balle tirée d'un toit. La cloche avait sonné, les rangs étaient formés, on montait déjà les escaliers et Pierre demeurait immobile, son pantalon toujours un peu froissé, aux plis défaits, godaillant autour de ses jambes, dans la cour déserte — il restait un peu de neige au pied des arbres —

(— Olivier, tu ne dis rien ? A quoi penses-tu ?

— A rien.)

et regardant les débris de verre à ses pieds.
Que fait-il à présent ? Il a laissé son livre, il marche

de long en large, non pas lentement et pesamment, la tête baissée, à la façon d'un homme qui réfléchit, mais à grands pas violents, en se rongeant l'ongle du pouce. Parfois il se jette ainsi en avant, sa force éclate, on dirait qu'il cherche un obstacle à broyer. Mais non, il ne bouge pas, il est toujours assis, les oreilles pleines de nuit, la bourdonnante, obsédante et insomnique nuit d'août : oiseaux, grillons, craquements de branches, mille bruits étouffés, comme suspendus à des hauteurs et des profondeurs différentes d'un mur compact, évoquant des préparatifs fiévreux, des appels de départ, une chanson d'amour à la mort.

Et tout à coup Olivier comprit que l'indifférence aussi était une passion, la plus douloureuse de toutes, la plus impossible à assouvir puisque l'objet qu'elle poursuit nous oblige à régler notre course sur la sienne : la passion du temps. Dévoré pour le temps d'un si étrange amour, Pierre ne se souciait plus du monde. Lui, qu'Olivier croyait sec, devait au fond souffrir à chaque instant de sa vie, en mangeant, en riant et tout simplement endurant, d'une souffrance aveugle et sans objet — la souffrance de ne pas souffrir. Et si, maintenant qu'il était sur le point de perdre Anne, il semblait l'aimer de nouveau, c'était qu'en s'échappant elle réveillait en lui l'espoir d'éprouver enfin une douleur définie, justifiée.

Mais il partira seul pour Beyrouth. Le temps passera. Il ne se mariera pas. Le temps passera. Il n'aura pas d'autre ami. Le temps passera. Il n'écrira jamais de livre. Le temps passera. Il ne vieillira même pas : malgré les rides, son visage conservera sa fraîcheur de peau, et comme un air de jeunesse inachevée...

— Excuse-nous, dit Berthe. Ça ne te dérange pas qu'on parle pendant que tu penses ?

Il la fixa longuement, de son œil noir et inquiet, sans répondre.

— Regarde-le, maman... mais regarde-le ! Je te dis qu'il finira fou. Il a les mêmes distractions que papa.

Olivier alluma une cigarette. Il regardait toujours Berthe mais maintenant il souriait — ce sourire incertain qui fait trembler les coins de sa bouche.

— Explique-toi. Papa n'est pas mort fou, que je sache.

— Berthe ! Tais-toi, dit Madame Aldrouze. Tu racontes n'importe quoi, pour le plaisir d'inquiéter. Tais-toi. Tais-toi !

— Mais non ; pourquoi ? » Olivier rejetait tranquillement un lent filet de fumée, mais son index tapotait sans cesse le bout de sa cigarette et la cendre, sans qu'il s'en aperçût, tomba dans son verre de cidre. « Nous sommes entre nous : j'aimerais qu'elle s'explique.

— Elle n'a rien à expliquer », dit Madame Aldrouze. Son regard fit très vite le tour de la salle à manger, comme si elle cherchait un objet pour frapper. « Dis-moi, Anne... Pourquoi ne vas-tu jamais plus dîner chez Pierre ?

Anne battit des cils. « ... eh bien... Ça ne s'est pas trouvé. »

— Il y a quelque chose de changé entre vous, n'est-ce pas ? Je le sens.

— Mais non.

Berthe se taisait ; son œil étroit furetait sur leurs

visages, brillant de malveillance et de gourmandise.
Un manège de mouches tournait autour du lustre.

— Tu me caches quelque chose, Anne. Berthe m'a
dit...

— Je n'ai rien dit du tout! coupa Berthe. Qu'aurais-
je pu dire? Je ne sais rien. Je ne les vois jamais. Ils
s'en vont toute la journée et moi je reste seule à écouter la radio, comme une vieille dame. La radio n'a pas
dit qu'ils ne se marieraient pas.

— Tu ne veux plus te marier, Anne? Dis-moi la
vérité.

— Oh, maman! je t'en prie... Je ne sais pas...

— Il ne tient qu'à toi de venir, Berthe. Nous pouvons t'emmener si tu en as envie... dit Olivier.

— Merci. J'aime mieux mourir chez moi.

— Mourir! gémit madame Aldrouze. C'est moi que
vous ferez mourir!... O, mes enfants, mes pauvres
enfants...!

Elle porta la main à sa poitrine et renversa la tête
en arrière, sur le dossier de sa chaise, les yeux fermés.

— Maman! cria Berthe en se levant. Qu'as-tu?
Maman?

— Ce n'est rien, dit Olivier. Une petite diversion.

Madame Aldrouze soupira. « Je vais m'étendre... je
n'en peux plus. Berthe.. aide-moi. »

— Olivier...

Elle a sans doute allumé la lampe de chevet en les
entendant monter, car tout à l'heure aucune fenêtre
ne brillait au manoir.

Son lit semble dériver dans le coucher de soleil de la veilleuse, apportant le corps immobile sous le suaire, les yeux ouverts au regard vertical, le visage comme becqueté, mystérieusement dévoré du dedans.

— Tu veux quelque chose ?

— Je veux te parler, mon grand. Vous revenez de chez François ? Va fermer la porte. » (Les rideaux bleus de la fenêtre ondulent.) Elle se redresse, s'adosse à l'oreiller. « Assieds-toi près de moi. Donne-moi ta main... J'aime tes mains, elles sont si longues, si douces, tellement plus douces que celles de ton père. On dirait des mains de femme. Comme tes yeux sont brillants ! Tu as de la fièvre ?

Entre la fente des rideaux, l'espagnolette est blanche. Il retire sa main.

— On dirait que je te dégoûte, dit-elle tout doucement. Et pourtant... si tu savais comme je fais attention ! Je te touche le moins possible. Tout de même... ce soir... Tu sais, Olivier : c'est peut-être la dernière fois...

— On ne meurt pas de fatigue.

— Ecoute, mon grand. Il faut que tu me promettes une chose. Je suis comme une bête, tu sais, je sens la mort. Je sens la mort au même endroit où je sens la faim, où je sens que je t'aime...

— Tu délires, tu ferais mieux de dormir.

Il se lève, marche vers la porte, s'arrête net.

— Laisse ta sœur se marier.

— Qui t'a dit que je l'en empêchais ?

— Elle n'a changé d'avis que depuis ton retour, mon grand.

— C'est Berthe qui te tue, dit-il à voix basse.

Elle joint les mains de toutes ses forces, avec un sourire gémissant.

— Laisse-la se marier. Promets-moi! Je ne te demande rien, je ne veux rien savoir... Laisse-la partir...

Le coup de talon qu'il vient de donner sur le plancher résonne dans sa nuque.

— Ce que je peux te promettre, c'est que Berthe me le paiera.

Il s'approche d'elle, il se penche, elle lève un bras, la lampe bascule et tombe à l'envers sur le sol.

Le plafond aussitôt s'éclaircit.

— Qui penses-tu que je suis ? murmura-t-il.

La pauvre tête se balance sur l'oreiller, les yeux fermés, avec une mélancolique lenteur de mât.

— Je ne sais pas, Olivier. Il y a si longtemps que je ne sais plus... Un jour — tu avais quinze ans, tu écrivais des poèmes — tu te souviens ? Je t'ai supplié de m'en lire un. Tu m'as récité un sonnet de Baudelaire. Tu crois peut-être encore que je ne l'avais pas reconnu ?

— Et alors ? dit-il en ramassant la lampe.

— Alors rien. J'aurais tant aimé te connaître...

Elle retombe mollement sur son oreiller.

— Je n'ai jamais pu te faire plaisir, mon pauvre grand. Ce n'est pas tout à fait ma faute, vois-tu... Je me souviens de tous ces Noëls, ces anniversaires — ah, si j'avais su ce que tu demandais! Mais tu ne demandais jamais rien. A chaque cadeau tu avais le même sourire, tu me remerciais de la même façon, on ne pouvait pas savoir.

Il s'est assis sur le lit, son sourire tremblant cherche une place introuvable sur ses lèvres.

— Olivier, dit-elle doucement, tu n'as jamais été enfant.

Il devine, bien qu'il garde les yeux fermés, la main qui s'approche de la sienne, et il s'écarte.

— Non. En effet. Je n'ai jamais été enfant qu'avec papa. Tu ne peux pas savoir...

— Ton pauvre père n'était jamais là.

— Il était là le dimanche !

— Oh... Un dimanche sur six, ou sur sept...

... le dimanche des dimanches, le jour de la promenade dans les bois de Sèvres ou de Saint-Cloud, avec ce jeune homme en canotier blanc, aux yeux railleurs, qui ne l'embrassait que d'un glissement de moustache... Déjà le noir lundi l'emportait, au volant de son auto de course. Un jour de printemps tous les deux, ils avaient trouvé des fraises des bois, il le revoit debout dans la clairière, tenant entre les doigts une fraise qu'il humait de ses narines gourmandes — et qu'il lui avait donnée. Il les lui avait toutes données, sauf une, qu'il avait sucée plus lentement qu'un bonbon. Tout seul, le lendemain, Olivier était retourné s'asseoir dans la clairière, il avait descendu la même colline en chantant. La semaine suivante il avait aperçu son père dans la rue, une serviette à la main, et il l'avait suivi en savourant le plaisir de le surprendre ; mais il s'était arrêté un instant pour regarder un petit ballon qui s'envolait tout seul dans le ciel, et il était trop tard quand il avait couru pour le rejoindre, la porte d'un jardin s'était refermée sur lui. Elle était peinte en vert. Il était monté sur le rebord de la grille, mais le lierre était trop épais. Pendant deux heures, il était resté assis contre la porte ; il était revenu à la tombée du jour. Des bras surgissaient des fenêtres pour fermer les volets. Un chien perdu l'avait longuement suivi. Sur la Seine, il y avait de petites lumières et des bateaux.

— Dis-moi comment il est mort...

— Mais tu le sais bien, mon pauvre grand...

— Je sais qu'il a été tué. C'est tout ce que je sais. Souviens-toi que tu as mis du temps à me l'avouer. Berthe et toi vous aviez peur ; vous avez préféré me laisser d'abord deviner tout seul. J'ai dû tout deviner seul. Pendant l'exode...

Quand ? A quel endroit de la route noire et fourmillante sous le soleil, dans la panique et la stupeur ? Personne ne lui dit jamais : « Olivier, il va falloir avoir beaucoup de courage » (et personne d'ailleurs, ne prononçait à cette époque un mot pareil). Il n'éprouva d'abord qu'une vague incertitude, une défiance croissante envers l'existence, qui lentement se précisa, se resserra sur l'existence de son père. Non pas des soupçons : une défiance ; moins la révélation de la mort, semblait-il, que la révélation du mensonge.

Ils avaient léché la terre des fossés, ils avaient couru, rampé, ils s'étaient cachés, ils avaient supplié des hommes qui tremblaient, frappé à des portes qu'on leur fermait au nez, il avait vu sa mère crier, demander conseil, secours, demander grâce, on leur avait fait payer des verres d'eau, on avait lâché des chiens sur eux — on les avait même parfois secourus, des paysans qui leur offraient des bols de lait, de la soupe, leur

94

grange, une vieille dame qui les faisait monter dans sa limousine, conduite par un chauffeur arrogant, « Dis merci. Dis merci. Vois comme les gens sont bons. » Honte, lâcheté, déshonneur, ces sentiments — ou plutôt ces sensations qu'il ignorait encore, s'incrustaient dans sa chair surprise, et il prenait leur violence inconnue pour les effets d'une maladie secrète couvant dans son ventre, creusant ses joues et rongeant son regard fiévreux, pâli, toujours dérobé. « Dis merci, Olivier. Dis merci. » Il remerciait de bonne grâce ; à ses yeux d'enfant, l'exode n'était qu'un voyage décidé au mauvais moment, inexplicablement prolongé, et ponctué à chaque étape par deux supplices : la diarrhée et le lait cru. Mais l'exode avait aussi ses bons côtés : une formidable partie de camping à laquelle aurait été conviée toute une moitié de la France ; des promenades en char à bœuf ; les jolis avions argentés, menaçant de leur doux et indéchiffrable grondement de chien qui s'approche — mordra, mordra pas ? — la procession d'épaves immobilisée tout à coup, et s'éloignant, argentés, placides, à l'horizon où ils finissaient par se confondre avec le tremblement de la lumière ; l'exaltation des mauvaises nouvelles, « Les Anglais ont rembarqué », « Ils ont franchi la Somme, ils ont franchi la Seine », nouvelles dont il ne saisissait pas le sens, qui le laissaient indifférent et libre de savourer, sur le visage des grandes personnes, leur reflet de catastrophe qui promettait encore des surprises. Mais plus ils avançaient vers le Sud, plus il sentait grandir la certitude qu'il ne reverrait pas son père.

De ces jours sanglants, nauséeux, burlesques, il ne souffrit que beaucoup plus tard, une fois qu'ils eurent pris dans sa mémoire leur consistance intangible. Le remords le plus obsédant est celui des fautes inconscientes, des fautes que nous commettons sans précaution, sans nous soucier de les justifier pour le jour où leur souvenir nous en demandera compte — le remords d'avoir été dupes. De ces fuites, de ces cachettes, de ces aumônes, de ces merci, il ne ressentit que beaucoup plus tard le poids douloureux, la souillure que sa vie entière ne laverait jamais. A dix ans, il avait vu les hommes, les femmes, les enfants d'un peuple entier retrouver une fraternité délirante, le goût de s'entraider, de se confier et même de se chérir simplement parce qu'ils fuyaient, tremblaient et se déshonoraient ensemble, parce qu'au coin d'un bois, quand une panne arrêtait la horde, ils satisfaisaient leurs besoins naturels ensemble. Et quelques jours plus tard il avait vu ces hommes, fixés quelque part, figés pour quelque temps dans quelque village du midi, comme des fourmis dérivant sur une paille qu'une pierre bloque un moment, au hasard, jusqu'à ce que le courant les emporte, ces femmes à la fois épuisées par la retraite et excitées par l'approche énorme du mâle (ces Huns, ces barbares qui violaient les enfants, qui coupaient les doigts des femmes pour leur voler leur bague, faisaient accoucher les mères à coups de bottes et qu'elles trouveraient bientôt si « chevaliers », si « corrects »), ces mêmes hommes, ces mêmes femmes descendre dans les rues écrasées de soleil et s'embrasser en pleurant de soulagement, leurs visages transfigurés par cette fatigue bienheureuse, détachée de tout, qui coule au ralenti dans notre corps délivré quand nous lui avons infligé, à force de volupté, de raffinement, l'humiliation qu'il cherchait au fond du plaisir. Ils pleuraient, ils s'embrassaient, la guerre était perdue, la guerre était finie. Il ne reverrait pas son père.

C'est alors qu'ils étaient arrivés, précédés de leurs motocyclistes qui roulaient lentement, les bras écartés, le buste droit. C'était au moment du déjeuner ; de toutes les maisons, on jaillissait pour les voir. Ils chantaient une mélodie rauque, coupée de longues interruptions où l'on n'entendait plus que le craquement rythmé de leurs bottes, et qui n'évoquait nulle joie, nul triomphe, mais seulement cette volonté d'avancer, de poursuivre, de pousser toujours plus loin, broyant les obstacles, vers une terre inconnue et promise — cette même volonté qu'exprimaient le mouvement de leurs bottes (comme s'ils écrasaient à chaque pas quelque chose), leurs regards raidis vers l'horizon, leurs fronts de rêveurs butés. Ils passaient, ils passaient, sans s'arrêter, verts et noirs, et s'effaçaient dans le poudroiement de la route sans qu'un seul d'entre eux eût jeté un regard à la foule subjuguée qui tapissait les murs comme une haie d'honneur. « Maman, je voudrais être allemand. » « Tais-toi, tu dis des bêtises » « Je voudrais tant être allemand, maman ! » Et tout à coup, il crut apercevoir son père, en uniforme allemand, marchand parmi les soldats. Il entendait : « Ce n'est pas que je les aime, Dieu le sait, mais ils ont tout de même fière allure » « Ils ont l'air propre » « Leurs officiers sont beaux. » Le soldat passa devant lui, les yeux fixes. Il avait une cicatrice blanche sur la joue. Un instant Olivier faillit courir vers lui et se précipiter dans ses bras. Il le regarda disparaître et pour la première fois depuis le début de l'exode il pleura. Il pleurait, les dents

97

serrées — et tout en pleurant il courut jusqu'au bout
de la rue, à la fin du village, pour apercevoir encore
l'éblouissante traîne de poussière qui se levait derrière
eux, là-bas, et les suivait sur cette route qu'ils avaient
conquise, entre ces blés qui leur appartenaient, sous le
soleil de treize heures.

— Que voulait dire Berthe, tout à l'heure ? Je veux
savoir.

— Rien, mon grand... je t'assure. Rien du tout.

— Je veux savoir, répète-t-il doucement.

— Mais rien... une supposition... absurde !

— Je veux savoir.

— Berthe... fait semblant de croire que ton père s'est
suicidé : on l'a retrouvé tué d'une balle dans la tempe...
à l'arrière.

— A l'arrière ? Pourquoi, à l'arrière ?

— Berthe prétend qu'il avait déserté.

— Déserté quoi ? chère maman », dit Olivier. Et il
se met à rire.

— Mais déserté... Trahi, si tu préfères.

Il se lève, riant un peu plus fort et répétant « mais
trahi qui ? trahi quoi ? la France ?... » Tout à coup il
redevient grave, se rapproche et se penche vers elle.

— Je vais te dire un grand secret, maman ; je vais
te dire le secret de tous les mensonges.

— Pourquoi ris-tu, mon pauvre grand ? Tu me fais
mal quand tu ris comme ça...

— Ecoute : on éprouve ce que l'on veut », souffle-t-il
en détachant les mots, penché vers elle, comme on

apprend une leçon à un enfant. « C'est pour cela que je ris. Je ris parce que l'instant me fait rire, je ris parce que j'en ai envie ! Tu comprends ?

— Pas du tout, Olivier.. murmure-t-elle en fermant les paupières. Je crois plutôt que tu t'amuses à nous faire souffrir, toi et moi.

— Eh bien ! c'est que tu comprends. Tu n'as plus besoin de rien ? Dors... j'éteins.

IX

L'eau monta.

Un après-midi, ils roulèrent vers la Côte sauvage. Olivier conduisait, Anne chantonnait à côté de lui ; elle avait mis par jeu un grand chapeau de paille d'où pendait, comme sur les chapeaux bretons, un ruban de velours noir. Il faisait très chaud, ils avaient ouvert les quatre vitres de la Dauphine, l'air faisait voler cheveux et ruban, et écartait sur ses genoux bruns les deux pans de sa robe rouge en tissu éponge, sans manches, qui se boutonnait par devant. Elle chantonnait à côté de lui, absorbée, tranquille, comme ces enfants qui préfèrent au paysage le jeu intérieur qu'ils poursuivent. Ils abandonnèrent la voiture près de Kergouat, pour aller plonger les mains dans une fontaine miraculeuse, au sommet d'une falaise. De la bouche de la Vierge, sculptée dans le granit, une eau glacée coulait dans un bassin. C'est là qu'autrefois on baignait les enfants qui étaient en retard pour marcher. « Si on se promenait un peu ? » Elle fit une petite moue : « Je ne peux pas. Je ne sais pas marcher. » Il la souleva dans ses bras et la porta au-dessus de la fontaine où il feignit de la lâcher, la rattrapant au dernier moment et la berçant contre lui. « Tu ne sais pas marcher mais tu sais faire marcher les autres. » Il vit se creuser dans sa joue une fossette espiègle, qui exagérait l'innocence de son visage. « Qui ça ? » « Pierre par exemple... ou Nicolas » « Oh... Nicolas ! Ce n'est pas après moi qu'il en a. » Il la lâcha. « Qu'est-ce que tu veux dire ? » « Je ne sais pas... une intuition. » Elle éclata de rire et lui mit son petit doigt contre l'oreille. « Ecoute... Tu ne comprends pas ce qu'il te dit ? » Tout à coup elle redevint grave, plongea les mains dans l'eau et les lui passa doucement sur le visage.

Ils restèrent un moment assis sur l'herbe ; une houle longue accourait de l'horizon : « Il faudrait peut-être retourner sur la plage.. Pierre doit nous attendre. » « Tu as envie ? » dit-il sans la regarder. « Non. » Elle se mit à rire. « Et toi ? » « Moi non plus. Tu sais ce que maman me reproche ? Elle prétend que je t'empêche de l'épouser. » « Pourquoi m'empêcherais-tu de l'épouser ? » « Je ne sais pas... Et toi ? » « Moi non plus. »

Sur la route du retour ils s'arrêtèrent pour cueillir des mûres Les ronces poussaient sur les deux bords du chemin, ils allèrent chacun de son côté mais lui, après avoir mangé trois mûres, se retourna pour la regarder, rouge dans la ronceraie, debout sur la pointe d'une seule mule. Elle perdit l'équilibre et s'égratigna l'épaule. Il était déjà à côté d'elle. « Zut, je n'ai pas de mouchoir. » « Attends. » Il posa la bouche sur la plaie, aspira. « ...meilleur que les mûres. » « Monstre. Tu as toujours aimé le sang... » Il la regarda : ses lèvres aussi étaient rouges. Il détourna la tête et se passa la main sur le front. « Ce soleil me fait mal aux yeux... » dit-il.

Dans la voiture, l'air rejetait sur le visage d'Anne ses cheveux dénoués.

— Et alors ? dit Nicolas. En voilà un barbouillage ! Vous avez volé les confitures ?

Il était assis à leur place habituelle, seul, au milieu d'un tas de vêtements.

— Pierre n'est pas là ?

— Il va revenir. Il est allé mettre des lettres à la boîte.

— Et les autres ?

— Comme d'habitude. Ils essaient de se noyer. Pierre a reçu une lettre de ses parents. Il paraît que finalement ils ne viendront pas du tout.

— Ils sont encore à Buenos-Ayres... ? murmura Olivier.

L'eau montait, silencieuse et glacée, autour de son corps englouti, et Olivier se débattait sans bruit, avec les gestes lents et doux des plongeurs sous-marins, afin que personne ne pût soupçonner sa détresse. Un soir où Pierre était allé dîner à Brest avec un ancien camarade, enseigne de vaisseau à bord de *la Jeanne d'Arc*, Olivier emmena Anne à Lannelec. Ils n'avaient pas revu ce village depuis dix ans ; ils ne le reconnaissaient pas ; ils ne retrouvaient pas la maison où était né leur père. Soudain ils furent dans une cour pavée, au pied de ce qui pouvait être un hôtel, ou une vaste villa. Sous un réverbère, dont la lanterne montrait qu'une pluie très fine tombait encore, un homme en ciré noir faisait les cent pas. A travers une fenêtre sans rideau, au premier étage, ils pouvaient apercevoir une pièce éclairée et le haut d'un dossier de velours rouge. Ils entendaient, derrière les bâtiments, la mer. L'homme en ciré disparut. Ils entrèrent. La porte ne donnait pas sur un vestibule, ou un hall, mais directement sur un escalier étroit, très lumineux, aux parois jaune clair. En haut, une autre porte, où ils lurent *Hôtel.* Ils la poussèrent encore. Ils se trouvaient dans la pièce aperçue de la cour : ils reconnurent le fauteuil de velours. Les autres objets ressemblaient à des accessoires de théâtre : une troïka, deux boucliers en cuir, une épée, des casques, des chandeliers de cuivre.

— Mais il n'y a personne ? chuchota Anne.
— On dirait que non.
— Qu'est-ce que c'est, ça ?
— Une troïka.

Elle est tout près de lui, le regardant en souriant, les sourcils levés, avec l'expression de complicité, d'attente excitée, intense, des jeux de cache-cache d'autrefois ou de promenades interdites. Au fond de la pièce, une porte entrouverte donne, comme la première, sur un escalier étroit mais tournant. Au bout de cet escalier, une autre porte, un corridor blanc : à droite, les portes numérotées des chambres, qui doivent donner sur la mer, se succèdent régulièrement comme des cabines dans le couloir d'un bateau. Doucement, Olivier en ouvre une ; la chambre est éclairée mais vide. Les deux lits jumeaux sont préparés pour le coucher — le traversin à nu, la couverture légèrement écartée. Pourtant les draps sont frais, il n'y a pas de bagages dans la chambre, pas d'objets de toilette sur le lavabo. La chambre suivante est obscure ; les lits ne sont même pas défaits.

La pièce dans laquelle ils se trouvent maintenant, la salle à manger sans doute, forme un demi-cercle au-dessus de l'océan, qu'ils entendent rouler en bas, derrière la baie vitrée. Elle est faiblement éclairée par une lampe ; le double rayon du phare la traverse régulièrement : rouge, et presque aussitôt jaune ; puis après plusieurs secondes : rouge, et presque aussitôt, jaune. Sur une petite table, une nappe blanche, deux couverts. Les manches des couteaux brillent. « C'est tout de même bizarre qu'il n'y ait personne », murmure Olivier. Lui, qu'aucun danger réel n'effraie, a peur des ombres, ou plus exactement du vide : quand il était petit et qu'il s'éveillait dans la nuit, il se dépêchait d'allumer la lampe, tremblant que sa chambre, et la maison, et le monde entier n'aient disparu tout à coup. A travers la vitre, il peut voir l'océan çà et là, par instants, quand le rebord d'une vague blanchit, avance vers les rochers invisible et s'éteint.

— Ah !... Magniffique ! (une voix féminine, un accent étranger, impossible à identifier). Je ne vous attendais plus : au téléphone, vous aviez dit cinq heures. Où sont-ils vos bagages ? que je les monte...

— Mais... nous n'avons pas de bagages.

— Pas de bagages ? » Elle joint les mains, lève les yeux. « Pas de bagages... Magniffique ! C'est comme ça qu'on voyage à vingt ans ! Pas de bagages, les bras librres comme les ailes d'un oiseau... Je vous ai fait un bon petit dîner. Il y a du feu ; défaites-vous, assoyez-vous ; je reviens.

Sa robe noire, qui descend jusqu'à ses chevilles, devient rouge, et presque aussitôt, jaune, tandis qu'elle se retourne et disparaît.

— Qu'est-ce qu'on fait ? dit Anne.

— Eh bien, on dîne...

— Et si les gens arrivent.

— Il est trop tard. Et puis on verra bien.

La pièce est tiède, engourdissante. Le plus étrange est que la voix de la femme (qui vient de reparaître, un plateau entre les mains, serrée dans sa robe noire et démodée, une robe princesse), cette voix tonique, exubérante, s'accorde à la douceur et à la somnolence de l'air, qui laisse Anne et Olivier sans volonté, les coudes maintenant sur la nappe, le menton dans les paumes.

— Voilà d'abord pour vous amuser un peu: des bonnes petites palourrdes, des bigorneaux... Après il y aura des rougets, de la côtelette de mouton et beaucoup de fruits. J'ai eu du mal; vous savez, vous avez téléphoné si tard... Ah! je serais heurreuse que cela vous plaise! Ici c'est la maison du Bon Dieu. C'est pour ça qu'il n'y a jamais personne.

Elle rit, les regardant, attendrie, les bras croisés.

— Vous n'avez pas d'autres clients ? dit Olivier en étendant les jambes. Il serre les chevilles d'Anne entre les siennes.

— Comment voulez-vous ? Il n'y a pas de plage.

Elle disparaît de nouveau, et presque aussitôt un chat noir se faufile par la porte qu'elle a laissée entrebâillée, s'arrête à quelques pas, s'assied et les observe en clignant des yeux. Olivier se penche vers le chat:

— Je vous préférais en robe princesse. Comment faites-vous pour vivre si vous n'avez pas de clients ?

— Tu es fou, dit Anne. Et si ce n'était pas elle ? Suppose que ce soit lui qui ait retenu la table: « Bonjour, je suis le chat. C'est moi qui ai téléphoné. » On nous jetterait dehors.

Les yeux du chat se fendent et il bâille.

— Jéronimo! crie la femme, le bras tendu: retournez aussitôt à vos cuisines. Vous comprenez, j'ai peur pour les rougets... Elle pose le plat sur la table. Je les ai cuits dans du papier beurré: vous sentez?

Le chat se coule contre le bas de sa robe, et tout à coup d'un seul bond arqué, il s'enfile dans l'entrebâillement de la porte.

— Je vous ai préparé une magnifique petite chambre! c'était la chambre préférée de Jéronimo... Il l'appelait la chambre des rêves. Il disait qu'on y rêvait toujours en dormant. Mon Dieu! Pauvre de ma tête...! Mais je ne vous ai rrien! donné à boire... Il y a du vin blanc ou du cidre cacheté.

— Nous prendrons du cidre.

— Vous avez raison. Le cidre cacheté c'est bien.

Ils sont maintenant assis près du poêle, assis ou plutôt engloutis dans des fauteuils au siège incurvé, si profonds que les bottillons blancs d'Anne ne touchent pas le sol. Olivier tient un verre ballon empli jusqu'à mi-bord de cognac. Mais il ne boit pas. Les yeux mi-clos, il paraît sur le point non de s'endormir mais de s'évanouir doucement, ainsi que se dissipe la fumée de sa cigarette. La pièce tourne autour du phare, dont elle rencontre à intervalles réguliers le double rayon silencieux, rouge puis jaune, pareil à un tic-tac de lumière.

— Tu aurais dû lui dire que nous ne prenions pas la chambre. Tu entends... ? Olivier.

— Mais ça ne fait rien... Je l'ai payée. On fera semblant d'aller se coucher et on filera en douce.

— Alors tout de suite. Il est tard.

Les murs sont tapissés de papier granité, dont le relief inégal approfondit la chambre. Des rideaux bleu sombre cachent sans doute une penderie. Olivier va jusqu'à la fenêtre, l'ouvre toute grande, et la porte se referme violemment sur eux.

— C'est magniffique ! dit-il. Eteins la lumière.

Elle éteint, s'accoude près de lui, ils regardent les taches blanches paraître et s'effacer sur la mer invisible. La lumière passe sur leurs visages. Lorsqu'il se retournera, après avoir refermé la fenêtre, Olivier constatera que le rayon rouge et jaune entre en diagonale dans la chambre et n'en éclaire que la moitié...

— Je me demande quels rêves faisait le pauvre Jéronimo dans cette chambre, avant que sa femme ne le change en chat, murmure-t-il en s'étendant sur le lit le plus proche de la porte.

Elle passe entre les deux lits pour allumer la lampe de chevet mais il l'éteint aussitôt. « La lumière me fait mal aux yeux » dit-il brusquement. Elle s'assied sur l'autre lit ; très vite, par deux fois, la lumière du phare l'éclaire.

— Je regrette qu'on n'ait pas retrouvé la maison de papa, dit-il. Et je regrette aussi que tu ne te souviennes pas de lui. Tu es la seule personne avec qui j'aimerais en parler.

— Tout ce que je sais de lui, c'est que Berthe le haïssait.

— Oh! Berthe...

Quelque part, une horloge ou une pendulette sonne onze coups espacés, frêles.

— Olivier, il faudrait rentrer... Va voir dans le couloir si on peut passer.

— Nous avons le temps! Qu'est-ce que cela fait? On dirait que tu as peur, Anne...

Au froissement de ses bas, il peut deviner qu'elle croise les jambes. Très vite, sous le rayon du phare, son visage est rouge, puis jaune — et de nouveau il ne la voit plus.

— Oui, dit-elle très doucement, j'ai peur...

— De quoi?

— Je ne sais pas. J'ai peur. Je me sens drôle...

— Attends-moi une minute.

Dès qu'il se relève elle allume la lampe, écoute ses pas s'éloigner dans le corridor, les yeux vaguement fixés sur le rideau de la penderie. Lorsqu'il revient, elle n'a pas bougé. Il tient sous un bras l'imperméable d'Anne.

— La porte de l'escalier est fermée, dit-il. On ne peut pas descendre. » Il pose l'imperméable sur le lit. « Tiens: tu l'avais oublié dans la salle à manger.

Elle pâlit, presse le dos de sa main contre sa bouche entrouverte, se lève.

— Mais il faut frapper, appeler, elle nous ouvrira! Il faut lui dire qu'on veut sortir! Il n'y a pas d'autre porte?

— La salle à manger donne sur la cuisine et il n'y a pas de porte à la cuisine. Ne t'affole donc pas. Elle est sûrement couchée dans l'une des chambres et elle

a fermé à clé comme chaque soir. Il suffit de la chercher.

— Je ne veux pas rester seule ici.

— Viens avec moi.

— Je ne veux pas voir l'intérieur des chambres.

— Ne regarde pas.

La pièce est vide un moment. Par la porte qu'ils ont
laissée ouverte, un peu d'air passe et fait bouger les
longs rideaux marine de la penderie. Dans le corridor,
des portes s'ouvrent et se referment tour à tour. « Madame ! Madame ! » crie la voix d'Anne. Puis la voix
d'Olivier, basse et presque rauque : « Tais-toi, c'est ridi-
cule. » Le rayon du phare, presque imperceptible, noyé
dans la lumière électrique, glisse sur la moitié de la
chambre. Les pas se rapprochent. Les voix se rapprochent ; maintenant elles chuchotent presque. « Je ne
pourrai jamais dormir ici. Et puis maman va être
folle... » « Ce ne sera pas la première fois qu'on ren-
trera à l'aube... » « Je ne pourrai jamais dormir ici. »
« La semaine dernière, nous sommes restés presque
toute la nuit chez François. » « Je ne pourrai jamais...
(elle entre la première. Olivier ferme la porte. Les
rideaux marine ondulent.) ... dormir ici » répète-t-elle
en secouant la tête, le suppliant de ses longs yeux d'Annamite. Elle se laisse tomber sur le lit, le visage dans
les mains.

— Non, dit-il presque durement : ça c'est le mien.
Mais de quoi as-tu peur, enfin ? C'est extraordinaire.

Elle se lève sans répondre. Elle portait cette jupe à
damier noir et blanc le soir où il partit pour l'armée.
Elle la portait aussi le lendemain de son arrivée, quand
ils étaient allés ouvrir la villa de Pierre... Elle con-

tourne le lit et va se blottir sur l'autre. Assise de côté, presque sur la hanche, les jambes repliées sur la couverture, son chandail bleu roi à manches longues boutonné jusqu'au cou, recroquevillée, enfermant dans ses bras ses propres épaules, elle le regarde par en dessous.

— Tu devrais enlever tes chaussures, dit-il ; tu vas salir le lit.

Et il éteint la lumière.

Très vite, le rayon du phare passe sur elle. Un froissement de vêtements, il se lève, se rassied, deux chaussures tombent sur la carpette.

— Olivier... Tu te déshabilles ?

— Naturellement. Je vais dormir.

Il plie son pull-over et son pantalon sous l'oreiller, pour pouvoir surélever sa tête, puis il se glisse sous les draps, tourné de son côté. Il entend la gamme légère de ses ongles descendant sur les boutons de son chandail. Elle apparaît dans la lumière rouge puis jaune, les bras tendus en arrière, le chandail découvrant déjà ses épaules nues et le haut de son dos. A la hauteur de sa taille, un claquement sec, métallique, puis une chute étouffée sur le tapis. Très vite, dans la lumière rouge puis jaune, son dos nu. Deux froissements rapides, soyeux. Très vite, dans la lumière rouge puis jaune, glissant au dessus du lit, ses jambes nues.

Elle est maintenant terrée sous ses draps, les yeux sûrement ouverts, tels ceux d'une bête affolée. Il ne l'entend même pas respirer.

— N'est-ce pas que tu n'aimes pas Pierre, dit-il tout à coup.

Elle ne répond pas.

— Tu as toujours peur ?

110

Elle ne répond pas.

— Veux-tu que je te dise ce qui te fait peur ?

Elle ne répond pas.

— Eh bien, Anne, dit-il à voix haute dans le noir, tu as peur de moi.

Et il se retourne vers le mur.

Ils revinrent au manoir à huit heures du matin. A l'aube, Olivier avait réveillé Anne : la mystérieuse porte de l'escalier était de nouveau ouverte ; ils pouvaient sortir. « C'est curieux, avait-il ajouté. Je n'ai pourtant pas entendu de bruit pendant la nuit. » « Mais tu as dormi ? » « Non... Peut-être... »

Ni Berthe, ni madame Aldrouze n'étaient encore levées. Olivier, comme chaque matin, avala deux tasses de café fort, sans sucre et bouillant. « Vous devriez manger un peu, disait Louise. Vous avez la figure toute chiffonnée. » Ils rappelèrent à Louise qu'ils ne déjeuneraient pas au manoir ; la bande avait projeté une excursion à l'île de Sein.

Presque chaque jour maintenant, aussitôt son café bu, Olivier se retirait dans sa chambre sous prétexte de faire la sieste.

Il tombait dans des rêveries étranges. Parfois il entendait un murmure insistant, semblable à une plainte d'enfant, où se confondaient le bourdonnement des derniers insectes, le grincement de la chaîne rouillée du vieux puits, un pas sur le gravier, une brise venue de l'océan sous les feuilles des chênes, et de temps à autre le cri méchant d'une mouette ou quelque

111

appel en bas, « Anne ! » L'eau montait, il sentait qu'il
perdait pied, les murs de sa chambre bougeaient doucement entre les rideaux immobiles. Alors il se rac-
crochait à des détails, le couvercle fendu de la bonbonnière de porcelaine — et l'eau montait — un corbeau
juché sur une branche et le regardant — l'eau montait — un pas dans le couloir mais c'était peut-être
le sien, un livre posé sur sa table, et qu'elle avait peut-
être lu.

La semaine qui précédait le départ des jumeaux, de
François, d'Ariane et de Nicolas, la bande organisa une
sorte de course au trésor dans l'anse de Bertheaume.
Anne, qui connaissait les cachettes des falaises envi-
ronnantes, fut choisie pour trésor. Le gagnant la découvrirait et la ramènerait dans un cercle dessiné sur
le sable sans que nul autre la touchât. A part les
jumeaux et la sœur de François — une petite fille
maigre et blanche dans son maillot de laine — qui
pouvait s'intéresser à ce jeu d'enfant ? Ils attendirent
que s'écoulât le temps laissé à Anne pour se cacher.
Ils ne parlaient pas. Les ombres des nuages glissaient
sur le sable. Nicolas épiait à sa façon Olivier et Pierre,
non en les scrutant, mais en faisant semblant de les
regarder sans les voir, d'un œil vague. Tout à coup ils
partirent.

Olivier prit un chemin sablonneux qui serpentait
entre des fougères dont les palmes lui frôlaient le coude
et parfois jusqu'à l'épaule. Il s'aperçut que Nicolas le
suivait, la tête baissée, à une vingtaine de mètres. Après
un tournant Olivier se jeta sous les fougères et le vit
passer, la tête baissée, les mains dans les poches de
son pantalon de velours noir. Il boitait un peu, comme

d'habitude, mais il semblait que ce fût quelque médita-
tion, la contemplation d'une inquiétude secrète qui
rendait sa démarche décidée, douloureuse. Il disparut.

Olivier revint sur ses pas, traversa la plage et escalada la falaise par les rochers. Parvenu presque en haut,
il manqua de prise. La terre s'effritait; les touffes
d'herbes — auxquelles il essaya de s'accrocher — lui
restèrent dans les mains. Il ne pouvait que sauter pour
atteindre le rebord de la falaise, où il trouverait peut-
être un appui qui résisterait — ou redescendre. Tendu
et calme, debout sur une plate-forme étroite où ne pouvait reposer que la plante de ses pieds, il examina un
moment la paroi terreuse au-dessus de lui, se ramassa
sur les jarrets, sauta. Le rebord auquel il s'agrippa tint
bon et il put se hisser dessus, à la force des bras.

Il resta d'abord couché sur le dos, les yeux au ciel.
Sa chemisette blanche était déchirée, un peu de sang
séchait sur sa poitrine. Une seconde, la pensée le frappa
qu'il avait risqué sa vie tranquillement, sans hésiter,
par jeu ou plutôt comme par indifférence. Déjà il était
debout, marchant au bord de la falaise, vers un vieux
blockhaus allemand couleur de rouille, dont le canon
désignait la mer. A quelques pas il s'arrêta, regardant
Anne assise sur le blockhaus, dans sa robe de plage en
tissu éponge rouge, boutonnée par devant; la dernière
boutonnière était ouverte et le pan gauche de la robe
glissait sur sa jambe, découvrant l'un de ses genoux.

— C'est comme ça que tu te caches ?

— Je ne me cache pas pour toi. Qu'est-ce que tu
t'es fait ?

— Je suis monté par les rochers.

— Ça te fait mal ?

— Non.

— Maintenant il faut que tu me ramènes.

— J'ai mon plan.

Mais il n'avança pas vers elle. Il la regardait, assise sur le blockhaus dans sa robe rouge, adossée à la mer, et il eut tout à coup l'impression qu'il l'avait vue là, une autre fois, assise sur ce blockhaus, dans cette robe rouge, et que cette fois-là aussi il s'était souvenu de l'avoir déjà vue là, assise sur ce blockhaus, dans cette robe rouge, adossée à la mer. Il sentit que cette image deviendrait plus tard le repère, l'image-clé de ces vacances — non parce qu'elle était plus belle ou plus frappante que les autres (elle restait immobile, il n'y avait pas de vent, sa robe ni ses cheveux ne bougeaient et elle ne souriait même pas) mais parce qu'il la regardait mieux. Plus complètement. Plus fort. Elle ne dépendait plus que de ses yeux, elle n'était plus que l'image qu'il se faisait d'elle — un rêve — un souvenir : s'il fermait les paupières un instant, elle mourrait ! Il ferma les paupières.

— Alors ?

— Viens.

Nicolas, tapi dans les fougères, les vit s'éloigner au-delà du blockhaus et disparaître. Il courut jusqu'au bord de la falaise pour les regarder descendre l'un derrière l'autre un sentier abrupt, vers une petite crique déserte que la falaise séparait de la plage de Bertheaume. Selon les règles du jeu, il aurait dû les poursuivre. Il s'assit contre le blockhaus et alluma une cigarette.

Olivier s'est arrêté au bas du sentier et regarde, emplissant, vidant et remplissant la crique d'une eau verte et profonde, la mer. Une boîte rouillée, sans couvercle, monte et redescend sur le sable. Une petite barque noire se soulève sur un bord et retombe. Au loin, flottant sur les eaux comme une peau de bête, fauve-clair, les sables de l'île de Griec.

Maintenant il dénoue ses espadrilles et les jette au fond de la barque. Il roule le bas de son pantalon de toile et pousse la barque dans l'eau.

— Monte.

Anne s'assied sur la planche arrière. Elle relève au-dessus des genoux le bord mouillé de sa robe de plage rouge, en tissu éponge, boutonnée par devant (la dernière boutonnière est ouverte), tandis qu'Olivier, assis en face d'elle et le dos tourné à la mer, commence à ramer. Les deux planches sont très rapprochées ; Anne le regarde ramer, inclinée en avant vers lui, les coudes plantés sur les genoux, tenant ses joues dans ses paumes comme si elle allait lui offrir son visage. Elle ne parle pas, heureuse sans doute d'ignorer où il l'emmène et s'amusant à deviner, ou peut-être ne se posant même pas la question — transportée, ravie, prisonnière, se contentant de le fixer d'un air docile. Chaque fois qu'Olivier se penche leurs genoux se frôlent. Il ne parle pas non plus, ramant toujours vers le large, la tête baissée, la gorge brûlante ; de temps à autre il relève sa mèche d'un coup de tête et regarde, à gauche d'Anne, quelque repère qu'il a choisi sur la côte.

— Tu as compris ? Je vais te ramener par la mer. Ils ne nous attendent pas de ce côté-là.

Elle paraît prendre, à le voir ramer, un plaisir qui lui coupe la parole. Chaque fois qu'il se rejette en arrière, les muscles de ses avant-bras se tendent et se gonflent de veines. Chaque fois qu'il se penche, leurs genoux se touchent.

— Il faut les laisser mijoter un peu, dit-il, haletant. Je voudrais revoir Griec.

Elle se tait ; il se penche. Les genoux d'Anne — les nuages dans le ciel. Les genoux d'Anne — les nuages dans le ciel. Les genoux d'Anne, le bord retroussé de la robe mouillée — le ciel.

— Tu te souviens — le jour où... maman a su qu'on était... (il ne parle que lorsqu'il se redresse) allé à Griec ?... Il y a au moins dix ans... non ?

Ils sont allés plusieurs fois à Griec, toujours en cachette car l'île passe pour dangereuse : quand la marée montante la recouvre, le sable devient mouvant. Autrefois trois touristes anglais y sont morts enlisés. La plupart des pêcheurs passent très au large ; Griec est, dans la légende, une des collines de la ville d'Ys. A la tombée d'une nuit, une pauvre vieille qui volait du goémon que les pêcheurs avaient laissé sécher sur la plage a entendu sonner là-bas des cloches, un bruit de rame s'est approché, elle a vu passer sous la lune un équipage d'hommes aux chairs blanches ; le lendemain, après s'être confessée au recteur elle s'est alitée, la semaine suivante elle est morte.

Il a lâché les rames, saute à terre, tire la barque dont la quille racle le sable. Anne se laisse tomber entre ses bras, il la presse un moment contre lui en riant ; sa robe glisse si facilement contre ses jambes qu'il peut deviner la douceur de sa peau.

— On prend un bain ?

— De soleil, oui », dit-il en enlevant sa chemise. Sur sa poitrine brune, le ruisseau de sang s'est coagulé.

— Tu es sûr que la marée ne monte pas ?

Il secoue lentement la tête, étendu sur le dos, les yeux fermés, pareil à une longue bête souple, sûre de son instinct, prête à bondir en plein sommeil. Elle trempe dans l'eau un pan de sa robe, s'agenouille près de lui et lave doucement la plaie de son torse. Sous le sein gauche, elle peut voir les pulsations de son cœur.

— Laisse-moi... Tu me fais mal.

Elle enlève sa robe et s'allonge près de lui, dans son maillot bleu ciel.

— Tu vois cette traînée blanche le long de l'île ? dit-il sans ouvrir les yeux. C'est un courant qui va vers le large. Tout à l'heure la marée va monter. Nous sommes si bien que nous pouvons nous endormir. Nous ne verrons pas la barque s'éloigner dans le courant. Il est impossible de revenir à la nage. Que préférerais-tu ? mourir noyée ou enlisée ?

— Tais-toi ; tu m'agaces.

L'île est si basse qu'il peut voir le ciel et l'océan se rejoindre, se refermer sur elle comme deux paumes sur un visage. Tout près de lui, la petite main d'Anne prend un peu de sable et le laisse couler entre ses doigts.

— A quoi penses-tu, Olivier ?

— Je cherche un mot.

— Quel genre de mot ?

— Je ne sais pas... Depuis des années je cherche un

mot. Mais au fond c'est peut-être un geste qu'il faut trouver.

— Pour quoi faire ?

— Pour se délivrer.

Brusquement le vent se lève. Elle a tourné la tête.

— Te délivrer ! Toi ? Mais tu es libre, c'est même effrayant comme tu es libre ! Tu fais ce que tu veux de toi et des autres.

— Je ne peux pas... mettre le feu à la mer, dit-il en souriant.

— Essaie. Tu as bien su faire rater mon mariage.

— Tu es folle ? » Il saisit sa main. « C'est toi qui ne veux plus.

— Tu m'as découragée. » Elle retire sa main. « Comme tu as découragé Pierre...

— Je n'ai rien fait. Je n'ai rien dit.

— Tu n'as pas besoin de parler — c'est drôle d'ailleurs... Rien qu'en étant là, rien qu'en regardant, en respirant, tu sépares.

Elle laisse retomber sa tête. De l'autre côté, une main d'Olivier se déplace à tâtons sur le sable. Il saisit une cigarette dans la poche de son pantalon et, tandis que Nicolas, Ariane, Pierre et les autres courent, cherchent, rampent en vain sous les fougères, reviennent de temps à autre sur la plage toujours vide, lui, étendu près du « trésor », rejette lentement, avec un délicat soupir de délivrance, la fumée que dissipe aussitôt non pas le vent mais la lumière, et il se laisse emporter hors de l'espace, comme on l'est sur un navire, ou dans un train la nuit. Il se redresse. Une grimace de douleur, ou de soleil, crispe son visage.

— Anne... tu te souviens quand on jouait au mort ?

— Tu as mal ?

— Non... Pourquoi ? Enfin, si... j'ai mal, j'ai toujours mal, c'est une maladie bizarre, Anne : comment te
dire ?... je souffre de ne pas être Dieu. Tu ne veux pas
qu'on joue au mort ?

— Comme tu as changé en deux ans.. dit-elle doucement. Comme tu es devenu dur...!

Il répète « dur ? » d'une voix légère, précaution-
neuse, « dur ? tu trouves ? » Et il se tourne de son côté,
le corps replié. « Je ne me rends pas compte. Est-ce que
je sais qui je suis ? Un jour — je ne sais pas si tu te
souviens, nous jouions au mort dans ma chambre, à
Sèvres. C'était ton tour de faire la morte, tu étais étendue sur mon lit et j'avais beau te serrer contre moi et
te couvrir de baisers, tu ne revenais pas à la vie ! J'ai
eu peur de t'avoir tuée et j'étais... c'est étrange j'étais...
émerveillé ! Il me semblait que si tu étais vraiment
morte — toi ! je pourrais surprendre la mort sous tes
paupières, savoir enfin ce que c'était, mourir... Peut-
être parce qu'étendue ainsi, immobile, les yeux fermés,
sans défense, tu me paraissais tout à coup accessible,
tu devenais un objet d'analyse et de connaissance. J'ai
toujours cru que le mouvement nous dérobait sans
cesse je ne sais quel secret. Je t'appelais doucement
— Anne, Anne..., pour ne pas t'inquiéter si tu étais
encore vivante et faire durer, avec mon angoisse, ma
misérable espérance. Mais tu as ouvert les yeux en riant
aux éclats, j'ai senti que j'avais laissé passer ma chance
de savoir, que jamais je ne saurais rien. Je me suis
relevé brusquement, tu ne t'en souviens pas, hein ? et
je suis sorti en claquant la porte. Un instant debout
derrière la porte, j'ai hésité. J'ignorais ce que je voulais

faire, j'avais peur de le découvrir, j'avais si peur de moi-même que mes mains tremblaient, j'étais en sueur, je parvenais à peine à respirer. Alors je me suis jeté dehors, j'ai couru me perdre dans les bois de Sèvres, fou d'impuissance, de déception — et pourtant sans le savoir, car je devais avoir quinze ans, seize à la rigueur... non : quinze. Tout à coup je me suis arrêté. J'étais en pleine forêt, seul, c'était l'hiver — et quelqu'un m'écoutait. Quelqu'un marchait et faisait parfois craquer des branches autour de moi, comme il fait craquer les meubles dans une chambre où l'on est seul. Quelqu'un m'attendait et me regardait vivre et souffrir. D'arbre en arbre, cette présence se rapprochait, m'enfermait, et depuis je n'ai jamais cessé de la sentir se rapprocher, de jour en jour, d'être en être, se cachant derrière les objets, se cachant derrière ton visage — quelquefois tes yeux m'ont fait peur qui l'abritaient innocemment — et me regardant toujours d'un peu plus près, ni en ennemie, ni en amie, ni en juge, mais plutôt à la manière de la mort : avec indifférence...

Il marche jusqu'à la lisière de l'eau et tire sur le sable la barque qui déjà flottait de nouveau. Un instant, les sourcils froncés, il semble évaluer le temps qui leur reste. Le sol est devenu plus mou. Assise, entourant ses genoux de ses bras, Anne fixe le sable.

— C'est ton orgueil, Olivier, qui te regarde...

Il tombe à genoux près d'elle, saisit sa fraîche figure à pleines mains, comme de l'eau à une fontaine, et l'approche de sa bouche. « C'est peut-être je ne sais quel amour... dit-il, à qui je ne fais pas sa part. Lève-toi... »

— On s'en va ?

— Dans un instant. Je voudrais que tu te lèves et que tu marches, comme autrefois quand nous jouions au mort.

Elle se lève. Très haut dans le ciel une petite croix d'argent brille et fait en avançant un bruit de velours qu'on déchire. Il la regarde marcher le long de l'eau, tourner, revenir vers lui — ce corps menu, contractile ; dissimulant (derrière le poli, le doré de la peau, l'innocence des petites mains ouvertes) le désordre organique, le repoussant tumulte — bruissement de sang, précaires battements de cœur — l'imperfection propre à tout ce qui vit ; fier semble-t-il, ou en tout cas satisfait, debout sur le sable, près de l'eau, dans le soleil, de son angoissante et menteuse harmonie. Elle s'approche, une mèche de cheveux noirs sur l'épaule gauche, souriante, les sourcils légèrement haussés comme pour lui demander de cesser ce jeu — et lui, la gorge lourde, regarde ce corps menu, candide, cette pitoyable beauté, vers laquelle le porte cette impulsion tout aussi pitoyable, ce désir de se cacher, de ne plus se voir, de se perdre, qu'on appelle l'amour, ou encore le désir, ou encore la haine — selon les preuves qu'on en donne — et même la Foi.

Elle s'est arrêtée à quelques mètres et relève d'une main ses cheveux ; le soleil lui fait des yeux de noisette. L'eau qui monte très vite, à présent, atteint déjà ses pieds.

— Tombe, maintenant... murmure-t-il. Tombe et meurs...!

Elle se laisse tomber sur les genoux, puis sur le dos, les bras en croix, les jambes jointes, tel un mât chaviré. Sa peau luit, semble tiède. Sur son bras gauche, le

soleil n'a pas bruni deux cicatrices de vaccin. Il lève
la tête, fixe le soleil. Lorsqu'il baisse les yeux, aveuglé,
il ne la voit plus que par éclairs, à travers des mouches
de lumière noire. Alors, selon les règles du jeu, il s'agenouille près d'elle sur le sable déjà trop mou, enserre
dans ses mains tremblantes le doux visage abandonné,
chuchote « lève-toi, Anne, lève-toi et marche... », et
comme elle ne bouge pas, n'ouvre pas les yeux, selon les
règles du jeu il s'allonge contre elle et presse la bouche
contre son front, ses paupières, ses joues, son cou, ses
épaules. Ses épaules son cou ses paupières. Peau brûlante goût de sel résistance de la chair dès que les
lèvres s'y appuient odeur vermeille goût de soleil goût
de raisins de serre il ne respire plus ses propres mains
ses reins ses jambes sont glacés les battements de son
cœur se développent de plus en plus fort de plus en
plus rapprochés irradiant sa gorge comme si une course
une fuite blessée le soulevait du sol et le laissait retomber plus lourdement à chaque foulée il fuit bien qu'il
ne bouge pas ne l'embrasse même plus reste simplement serré contre elle poursuivi par le goût de raisins
de sa chair et le faible parfum d'amandes de ses cheveux quand brusquement

— Anne.. crie-t-il. Anne !

il retombe sur le flanc, haletant, les lèvres ouvertes.
Elle se lève aussitôt, pâlit, tend un bras vers la mer.

— Olivier, tu es fou ! Regarde !

La barque dérive à une dizaine de mètres du rivage,
proche de la bande blanche où passe le courant. « Nous
sommes perdus », dit-il en riant. Il s'élance dans l'eau,
rejoint la barque à la nage, s'assied sur la planche
avant. Mais il ne saisit pas les rames. Doucement, il

122

se met à lui parler. Malgré la distance il n'a pas besoin d'élever la voix, l'eau ne fait pas de bruit, il lui parle doucement, tranquillement, comme s'ils étaient tous deux assis dans le salon du manoir.

— Je n'approuve pas ta conduite avec Pierre, dit-il. Quand je suis arrivé, le premier soir, tu m'as dit qu'il avait besoin d'être aimé, tu parlais comme une sainte. Et maintenant tu t'amuses à le faire danser, comme une coquette. Je t'assure, Anne ; il faut que tu l'épouses. Pourquoi le faire souffrir ? Vous êtes faits l'un pour l'autre.

Elle relève la tête ; son regard est surpris, presque méchant. Ses pieds enfoncent dans le sable jusqu'aux chevilles. « Je ne comprends pas, dit-elle. Viens me chercher. »

De la barque, ils virent au loin les autres assis en rond sur le sable, probablement silencieux, peut-être inquiets. Nicolas tourna la tête, les aperçut le premier, ne leur fit pas un signe. « Promets-moi que tu épouseras Pierre... » — « Je ne te promets rien. Ça ne te regarde pas. » Ils accostèrent, sautèrent sur la plage. Les autres tournèrent vers eux des visages figés. On eût dit que plus personne ne se connaissait, qu'ils se trouvaient tous réunis là par hasard.

— Si vous aviez joué, dit simplement Nicolas, vous auriez gagné.

— Mais c'est vous, qui n'avez pas joué...

— Nous vous avons cherchés pendant une heure, dit Pierre.

Anne s'assit. Des grains de sable étaient collés à ses coudes et pailletaient ses cheveux. Elles les interrogeait tour à tour, en silence, d'un regard étonné, comme hypocrite. Pour la première fois depuis les vacances, les jumeaux se taisaient, assis l'un près de l'autre, relevant parfois lentement et patiemment la tête, comme un attelage arrêté.

— Vous êtes allés à Griec ? dit Ariane. Il paraît que l'île est dangereuse.

Olivier haussa les épaules en souriant :

— Pourquoi : dangereuse ?

— Des sables mouvants.. je crois ?

— Et alors...

— Evidemment, si on aime ça.

— Mais vous aussi, Ariane, vous allez mourir, dit Olivier d'une voix chantante et prometteuse. Vous n'avez pas de chance, vous savez. Ce n'est qu'une question de temps.

— Tout est là... » Elle le regarda comme avec tendresse. « Qui mourra le premier ?

— Le mois d'août, dit François. Pour lui c'est vraiment la fin. A part Olivier et Pierre, tout le monde part la semaine prochaine, je crois ?

— Je ne sais pas. J'aime bien ne pas savoir... » Nicolas essuyait le sable entre ses doigts de pieds, le regard penché, absorbé, distant. Tout à coup il releva la tête. « Je n'imagine que le présent, vous comprenez ? C'est beaucoup plus drôle et je ne gâche rien à l'avance.

— En tout cas, dit François, il faut faire quelque chose. Que diriez-vous d'une grande soirée chez moi samedi ? Invitez qui vous voulez. Vous devriez amener votre autre sœur, Olivier. Comment se fait-il qu'on ne la voie jamais ?

— Je vous l'ai dit : elle écoute la radio. C'est une passionnée de radio. Mais c'est promis, je vous l'amènerai. C'est une bonne idée. » Un sourire très vif fit trembler ses lèvres. « C'est même une excellente idée ! Bon. Je vais rapporter la barque.

Il se leva. Pierre vit Anne retenir il ne sut quel geste ; il regarda Olivier monter dans la barque et saisir les rames — tandis que tous s'animaient brusquement (les jumeaux se levant et proposant un bain, François et Nicolas parlant tous les deux à la fois, Ariane posant une question que Pierre ne comprit pas, à laquelle il ne répondit pas), comme délivrés... Il regardait Olivier s'éloigner parallèlement à la côte, sur l'eau plate et pâlie de la fin du jour, dans la direction opposée au soleil, rameur solitaire, tirant de l'eau un bruit régulier, cherchant la nuit comme une rive.

X

Ce soir-là Pierre dîna au manoir. Madame Aldrouze s'était couchée dans l'après-midi. Berthe paraissait de bonne humeur ; elle vida coup sur coup, après le potage à l'oseille, trois verres d'un vieux Vouvray qu'elle était allée chercher elle-même à la cave.

— J'ai une invitation à te transmettre, dit Olivier.

Elle venait d'engloutir une bouchée d'omelette à la crème fraîche et au jambon ; elle cessa brusquement de mâcher.

— François voudrait que tu viennes chez lui samedi soir.

— Il ne me connaît pas.

— Il voudrait te connaître.

— Je n'y tiens pas.

— Qu'est-ce que tu risques ?

— Je n'y tiens pas, je te dis. Ça ne m'amuse pas.

— Tu as peur des autres, Berthe.

— Qu'est-ce que tu chantes ? » Elle but d'un trait, prit Pierre à témoin : « Il ne veut pas se rendre compte que ces petites sauteries ne sont plus de mon âge.

— Elles n'ont jamais été de ton âge, dit Olivier avec un élan de douceur. Tu devrais essayer une fois. Je te jure, Berthe! Les inconnus ne sont pas ce que tu imagines. Tu les prends pour des juges; mais eux aussi ils ont peur de déplaire... Tu n'es jamais venue avec nous, ils croient que tu les méprises; tu seras la reine de la soirée.

Elle était encore plus pâle. Olivier comprit qu'elle redoutait, à présent, d'avoir envie de céder.

— De toute façon, si tu t'ennuies, tu n'auras qu'à t'en aller.

— Je verrai...

Elle but encore, mais repoussa son assiette à demi pleine.

— Je monte voir si maman n'a besoin de rien, dit Anne à la fin du dîner.

Olivier s'aperçut qu'elle avait mangé sans dire un mot ni regarder personne. Il se tourna vers Pierre.

— Tu viens faire un tour, pendant ce temps-là ?

— Evidemment.

— Pourquoi, évidemment ?

Ils sortirent. La lune était posée derrière les chênes — une couleur d'abricot mouillé.

— Parce que tu as parlé à Anne, dit Pierre. Je suis sûr que tu as parlé à Anne. Cet après-midi sans doute. Dans votre île. Je suis sûr que tout dépend de toi. Dans quelques instants je serai fixé. N'est-ce pas ? Ne fais donc pas durer le plaisir !

Sa voix sourde paraît retenir une colère. Olivier lève la tête. Entre les chênes, sous la lune, la barrière luit. Il dit tranquillement, avec mépris : « Ne t'inquiète pas. Il n'y a rien de changé. Tu te faisais des idées. Elle

127

ne demande qu'à t'épouser. » Pierre hausse les épaules.

— Elle fera ce que tu lui diras, j'en ai peur.

— Ecoute, Pierre : tu veux toujours te marier fin septembre — le 27, je crois ? As-tu songé que tes cours commenceraient à Beyrouth tout de suite après ? Vous n'aurez pas de voyage de noces. Sais-tu ce que tu devrais faire ?

Il regarde Pierre, et pour la première fois depuis qu'il le connaît il voit dans l'ombre un sourire de ruse sur ses lèvres.

— Je devrais partir, n'est-ce pas ? dit Pierre. Emmener Anne tout de suite. C'est cela que tu veux. Je me demande pourquoi nous te gênons.

— Mais non, mon vieux Pierre, c'est moi qui vous gêne.

D'un geste brusque et gauche il lui saisit le bras. Pierre tressaille : feignant de vouloir ouvrir la barrière, qui est encore à plusieurs pas, il se dégage aussitôt.

— Ah, non ! Pas de cadeaux, murmure-t-il entre ses dents.

— Sois tranquille : si c'est un cadeau c'est à moi que je le fais.

Pierre le laisse passer, s'arrête, s'appuie à la barrière dont le battant les sépare. Autour d'eux, se refroidissant sous la lune, les arbres craquent.

— Je commence à comprendre... Tu as d'abord voulu faire échouer mon mariage, et maintenant tu le précipites. Tu espérais donc quelque chose que tu n'as pas obtenu.

Le visage d'Olivier devient lisse.

— Ce que tu crois deviner m'étonne de toi-même, dit-il très lentement, et je ne te croyais pas si bas.

— Ecoute, répond Pierre de la même voix serrée, coléreusement nette, ça m'est égal. L'autre jour, à Brest, tu m'as fait avouer bien des choses — tu n'as pas ton pareil comme confesseur : tu as l'art de mettre les autres dans leur tort ou plutôt... dans leur vide. Mais il y a une chose que je ne t'ai pas dite et je la sais depuis longtemps et je vais te la dire : je ne t'aime pas.

— Je l'ai su avant toi. Dans la mesure où tu en es capable — c'est à dire par instants — je pense même que tu me détestes. Depuis que nous nous connaissons tu rêves sans le savoir de m'échapper. Tu t'y es mal pris en te fiançant à Anne. A moins que ce ne soit... comme une revanche ? Tu sais, Pierre... — il hésite, prend sa respiration, laisse tout à coup tomber d'une voix amère : j'ai l'habitude d'inspirer la haine à ceux que j'aime. Ils trouvent mon amour suspect, presque malsain. Entre parenthèses, la façon dont vous nous avez accueillis, Anne et moi, à notre retour de l'île, en disait long sur vos soupçons. Au-delà d'une petite affection bien tiède, vous flairez le monstrueux. Toi tu as toujours trouvé mon amitié... comment dire ? trop gloutonne, hein ? Tu me reprochais sans oser le dire de t'imposer mes goûts, de t'attirer dans mon orbite. Mais je ne t'imposais rien du tout, mon petit vieux. C'est toi qui t'imaginais que tu te laissais prendre, parce que tu te sentais prenable — comme tous ceux qui ont peur de se donner.

Il s'éloigne tout à coup, sans se retourner, s'arrête pour allumer une cigarette et s'éloigne de nouveau. Resté seul, appuyé à la barrière, Pierre plisse les yeux, semble concentrer ses forces, sa colère, son attention surtout. Mais lorsqu'il le rejoint, il se contente de marcher à côté de lui sans rien dire, et c'est Olivier qui parle.

— Sois tranquille. On ne peut rien prendre. Rien ni surtout personne. » Il regarde, au bout du chemin, le calvaire dans la lumière rousse. « Nous avons les bras cloués, nous ne pouvons rien étreindre.

— Je regrette de t'avoir blessé si tu es sincère, » dit Pierre, mais sa voix reste serrée, contenue. Ses yeux baissés interrogent ses pas. « Au fond, jette-t-il avec dépit, tu es impuissant à aimer.

Olivier se met à rire.

— En un certain sens, oui : comme tout le monde.

Et, d'un coup de pied, il fait rouler un caillou sur la route.

— Non. Pas comme tout le monde. Toi tu n'aimes pas ce qui vit.

— Voilà un reproche qui devait te brûler les lèvres, dit Olivier avec un rire léger.

Ils s'arrêtent au tournant qui domine la mer, regardent l'océan plat, polaire, comme immobilisé par la lune. Puis Olivier parle avec lenteur, en cherchant ses mots. « Ici même, à ce tournant, le soir de mon arrivée, Anne m'a dit qu'elle allait t'épouser. Immédiatement une image m'a sauté aux yeux, et cette image m'a révolté. Je n'avais jamais pensé à vos corps... Vois-tu, je crois que c'est à cause de cette image que j'ai d'abord essayé, en effet, de tout empêcher. Il me semblait qu'il y avait mieux à offrir à Anne. J'ai si longtemps vécu dans l'illusion que mon amour de la vie — oui, contrairement à ce que tu crois : mon immense amour de la vie, des êtres — finirait par donner quelque chose... Donner — au sens précis de ce mot ! le besoin de donner m'obsédait et je ne trouvais dans l'amour qu'une disposition à recevoir... une extrême attention. Certains matins, à Sèvres, un simple regard par ma fenêtre sur la Seine...: ce fleuve, ces cheminées, ces quais, je les désirais trop fort, ils allaient s'embraser, disparaître dans mon cœur, il n'y aurait plus rien au monde — il n'y aurait plus que moi! Alors je retombais sur mon lit, ma voracité se retournait contre moi: je découvrais douloureusement qu'elle ne profitait qu'à moi-même et que ce que l'on appelait l'amour... l'espérance, la foi — n'étaient que des moyens de jouir de soi.

« Et pourtant je reprenais confiance: je finirais bien par trouver... J'étais certain de finir par trouver. Mais non. Je ne suis pas plus doué que les autres. Oh! comme j'en ai assez d'avoir toujours des désirs au-dessus de mes moyens!...

Il se tait, observe Pierre très vite, à plusieurs reprises, du coin de l'œil. Plusieurs minutes passent, dans le bruit apaisant de la mer. Ils se remettent en marche et d'autres minutes passent. Ce n'est qu'en poussant la barrière que Pierre dit avec effort:

— J'ai dit des bêtises. Je parlerai à Anne demain matin. Nous partirons.

Ils se regardent avec méfiance. Olivier ne répond pas. Demain il pleuvra: la lune est entourée d'un halo. Pierre, en venant les chercher, emmènera sans doute Anne derrière le manoir. Là, il se contentera de dire d'une voix neutre:

— Je pense à une chose. Nous ne pouvons pas nous marier avant le vingt-sept septembre, puisque mes parents ne reviennent que le vingt. Ensuite il faudra filer aussitôt sur Beyrouth. Nous n'aurons donc pas de voyage de noces. Si on le faisait avant ?

— Quand : avant ? » dira Anne. Entre les bords de son foulard, son visage paraîtra changer de teinte.

— Maintenant... Tout de suite.

Il la regardera farouchement, comme toujours, bien en face, et sans la voir.

— Tout de suite? Mais nous sommes à peine... Pierre : et maman ? Et Olivier ? Mais non.

— Vous pouvez leur en parler, vous pouvez les prévenir.

De l'herbe encore mouillée derrière le manoir, chacun de leurs pas fera jaillir des gouttes d'argent. Anne regardera la fumée monter au-dessus d'une ferme dont le toit mouillé miroitera. Peut-être cette fumée lui serrera-t-elle le cœur : Que dirait Olivier ? Etait-il sincère, à Griec ? Elle l'imaginera haussant les épaules, avançant la lèvre inférieure comme pour dire « tu es libre... »

Mais il ne haussa pas les épaules. Il se contenta de respirer profondément, regardant ailleurs : « Et quand partiriez-vous ? »

— Dans six jours, dit-elle. Samedi prochain.

— Où ça ?

— En Espagne.

— En cette saison c'est une drôle d'idée. Les hôtels seront pleins, vous allez crever de chaleur...

Il avait parlé d'une voix nonchalante, distraite, en regardant toujours ailleurs. C'était la première fois qu'Anne le voyait rougir. Il se leva, se pencha dans le soir par la fenêtre ouverte de sa chambre. Une brume bleuâtre stagnait au loin devant les sapins.

— Tu es content ?

— Pourquoi...

— Tu voulais que j'épouse Pierre.

— Mais oui.

« Le dîner est servi ! » cria Berthe dans le couloir. Ils ne bougèrent pas. Il lui tournait le dos, debout à la fenêtre.

— Autrefois... tu n'étais pas fourbe.

— Je ne suis pas fourbe. On ne peut pas retenir son enfance, ajouta-t-il tout doucement.

Elle ne parut pas entendre. Il y eut des pas dans l'escalier.

— C'est vrai que j'ai peur de toi, dit Anne. Et pourtant je t'aime. J'aurais voulu que nous vivions toujours ensemble, sans vieillir... Tu te souviens quand nous allions chercher le lait ? J'avais peur du chien des Kervélégan.

— Oui. Tu courais : il ne fallait pas courir.

« Anne ! Olivier ! cria Berthe d'en bas. On vous attend ! » Un peu de vent fit bouger les feuilles des chênes ; quelques feuilles, tout à coup, tombèrent.

— C'est le temps qui fausse tout, dit Olivier. On a beau ne pas changer...

— Allons dîner.

Il se retourna. Elle restait assise sur le lit, les genoux croisés. Ses cheveux faisaient une tache noire dans la lumière sourde du soir. Il eut l'impression d'être dans l'une de ces gares anonymes où l'on ne fait que changer de train. De nouveau, il y eut des pas dans l'escalier. Cette fois-ci, ils montaient.

— Olivier, dit Anne très vite, je ferai ce que tu voudras.

— Mais, Anne... je ne sais pas ce que je veux.

Berthe ouvrit la porte. Ils descendirent tous les trois.

XI

Il y eut quatre jours, quatre matins où incapable de lire, de se promener et même de s'ennuyer, il attendait seulement qu'elle s'éveillât pour la voir déjeuner, puis qu'elle s'habillât pour l'emmener se baigner — et ils rejoignaient les autres sur la plage. Il parlait peu, d'une voix absente. Ariane lui disait qu'il avait l'air fatigué. Nicolas faisait les mots croisés du Figaro, dont il cherchait les solutions sur le visage d'Olivier. Les jumeaux jouaient au volley-ball en compagnie d'une grosse fille rousse, leur dernière connaissance. Olivier entendait leurs rires, leur gaieté de fin de vacances. « C'est idiot, on va se quitter quand on commence à se connaître » ; « Michèle ! tu penseras à nous donner ton adresse à Paris. » « Tu te souviens du curé du Toulgouet ? », François bombait le ventre, l'appuyait sur le rebord d'une chaire imaginaire : « Ceci posé, mes biens chers frères... », « à Paris on ne se quitte plus, on a trop ri ensemble... » tout le monde riait, un peu de sable volait sur son visage immobile, il les entendait faire des projets, un grand dîner, le réveillon, les sports d'hiver, échanger des adresses, des numéros de téléphone. Seule

Ginette, la petite sœur de François, qui revenait d'Angleterre, prenait au sérieux ces promesses, ces amitiés nouvelles qu'on ne lui offrait pas. Maigre et pâle dans son maillot de laine, elle retenait leurs moindres plaisanteries, suivait leurs gestes, apprenait à vieillir.

Puis ce fut l'avant-dernier jour.

Après avoir déjeuné au manoir, Pierre prétendit qu'il voulait écrire des lettres, ranger sa chambre, préparer déjà ses valises.

— Et vous deux, vous allez sur la plage ?

— Probablement... dit Olivier.

— Ne vous fatiguez pas trop, Anne. Demain nous partirons directement de chez François : vous ne pourrez pas dormir.

— Je dormirai dans l'auto.

Pierre les regarda longuement tour à tour, avec un sourire monotone. C'était lui qui semblait sur le point de les quitter pour toujours. « Bon après-midi » dit-il.

Olivier resta seul avec Anne. Il entendait le bruit d'un râteau dans l'allée, calme et régulier.

Ils sortirent. Pour laisser passer la Dauphine, le jardinier dut s'interrompre.

Ils revirent le blockhaus, où Anne s'assit de nouveau ; ils revirent l'île de Griec au loin, déjà à demi recouverte par la mer ; ils revirent la fontaine miraculeuse. Ils prirent dans les fougères de Bertheaume, le bain des dimanches d'autrefois, mais les palmes brunies s'effritaient contre leurs corps, les tiges se cassaient sous leurs pas, Anne n'essaya pas de courir, il ne la fit pas tourner dans ses bras — et les mûres avaient séché sur les haies, le long du chemin du retour.

— Olivier ? Tu ne dis rien...

— ...Mais je te parle, dit Olivier, sans tourner la tête.

Il eut soif tout à coup. Ils s'arrêtèrent dans un village au bord de la mer, à cette heure marine du soir où des oiseaux blancs, des mouettes, tournent en criant autour du mât des églises. Il fit le plein d'essence, but un demi au comptoir d'un café — où Anne refusa de rien prendre.

Maintenant ils font quelques pas sur la jetée. Deux pêcheurs réparent leurs filets, à genoux devant l'océan. Une vieille bretonne en coiffe avance au bout de la route, un pain sous le bras. Au fond du port, un couple empile du goémon sur une charrette ; de temps à autre l'homme s'arrête, et le menton appuyé sur le manche de sa fourche, regarde la femme ou la mer. Dans la lumière du crépuscule, la « trouble-nuit », tous paraissent ne bouger qu'avec réserve.

Sans regarder Anne, Olivier la devine debout au bord de la jetée — ses cheveux noirs, sa robe d'un bleu très clair. Elle a sans doute ce sourire rêveur et chagrin qu'elle réserve à ce qu'elle quitte, comme si déjà elle ne contemplait plus la mer, mais le souvenir de la mer. Il ne veut pas tourner la tête ; et il sait qu'elle n'ose tourner la sienne, ni bouger, ni lui parler, un peu par tristesse et surtout parce que la souffrance l'intimide.

Tout à coup la lumière paraît sourdre des profondeurs de la mer, une lumière sans ombre, le reflet d'une clarté dans un miroir ; ce n'est plus la nuit qui tombe :

on dirait qu'un nouveau jour se lève. Léger, éprouvant sa légèreté jusqu'au vertige, il semble à Olivier pouvoir toucher les arbres, la robe, la plage, sans bouger — le moindre mouvement rétablirait la distance — et même percevoir le lieu invisible où les arbres, la robe, la plage se confondent : il voit l'espace, l'espace à l'état pur.

— Olivier, il faudrait rentrer. Tu sais qu'il est très tard ? » Elle hésite. La mer paraît s'éteindre. « Je voudrais bien commencer à faire mes valises...

— Tu vois ce port ? Je suis sûr que jamais plus nous ne le verrons ensemble...

— Oh... Olivier ! Tu serais sûr de n'importe quoi, pour le plaisir de désespérer.

— C'est à cette heure-ci que vous rentrez ? Où êtes-vous allés ? Pierre est passé deux fois. Vous n'étiez pas sur la plage.

Berthe bloquait l'entrée du salon. Pour une fois elle n'avait pas pris le temps, en les entendant venir, de monter se calmer dans sa chambre. Elle les flairait de ses narines écartées, elle les scrutait de ses petits yeux noirs et furieux ; Olivier haussa les sourcils.

— Qu'est-ce que tu veux, Berthe ? Tu nous empêches d'entrer.

Elle s'écarta. « Je veux... savoir où vous étiez, si tu peux me le dire... » murmura-t-elle derrière eux. D'un fauteuil, au fond du salon, un froissement de journal monta, puis une voix au timbre tremblé, une voix gémissante, usée, la même voix qui autrefois, l'année dernière encore, donnait aux ouvriers sur les chantiers des ordres brefs, des ordres d'homme — ce qui restait de la voix de tête de madame Aldrouze.

— Mes enfants... pour le dernier soir... Vous auriez pu faire un effort. Allez vite vous laver les mains.

Olivier se pencha, lui baisa le front; elle posa les mains sur les épaules d'Anne et la retint. « Anne, dit-elle, je... » Elle ferma les yeux. « Va... Dépêche-toi. »

Ils se mirent à table. L'horloge battait. Il était neuf heures moins le quart. Anne renversa son verre.

— Décidément tu ne changeras jamais, dit madame Aldrouze. Tu es toujours aussi maladroite.

— Elle n'est pas maladroite, fit Berthe. Regarde comme elle tremble.

— Tu es malade, Anne ?

— Elle n'est pas malade : elle a peur.

— Peur ! dit madame Aldrouze. De quoi aurait-elle peur ?

— Est-ce que je sais ? Tu as pleuré, Anne ?

— Moi ?... Non. Et toi ?

Berthe rougit et se tut. Louise apportait un plat de sardines grillées ; sans doute surprise par leur silence, elle les dévisagea. « Il faut tout de même manger... » murmura-t-elle.

— Tu as fait tes valises, Anne ?

— Mais voyons, maman, j'ai tout demain.

— Il est plus tard que tu ne penses, dit Berthe d'une voix retenue. Demain soir tu n'auras pas le temps : il y a ce bal chez votre ami... Pourquoi ne manges-tu pas ?

— Et toi ?

— Mais je mange. Elle se servit en reniflant. Vous allez directement sur l'Espagne ?

— Non. Pierre veut repasser par Paris.

— Tiens ? dit Olivier. Il ne m'avait pas dit cela. Pourquoi ?

— Je ne sais pas... Il a deux ou trois choses à faire à Paris.

— Quel genre de choses ?

— Je ne sais pas, Olivier. Tu me fatigues...

Les yeux d'Anne étaient mouillés. Tournant très vite sur le dos, en grésillant, une mouche mourait au pied de la fenêtre. Tout à coup, sur les chênes, un vent d'automne s'abattit.

— Après-demain soir à cette heure-ci, tu dîneras à Paris, dit Berthe. » Elle regardait Olivier. « Vous serez arrivés si vous partez à l'aube.. Où coucheras-tu ? Il faudra penser à lui donner les clés, maman.

Madame Aldrouze reste silencieuse. Olivier se verse un verre de cidre ; ses longues mains brunes et veinées tremblent. Berthe baisse la tête. Son cœur, ses paupières, très vite, battent. Au premier étage un volet gémit. Un vent large effeuille de nouveau les arbres. Qui vient de dire : « Il va pleuvoir ? »

— Après-demain à cette heure-ci, tu seras sans doute au restaurant, dit Berthe. Et nous, nous dînerons seuls tous les trois !... Nous dînerons seuls tous les trois... répète-t-elle. Elle sent tout à coup monter, d'une coupe d'étain posée sur le bahut, l'odeur des fruits de septembre. Maman, ce n'est pas possible ! Tu te rends compte ? Nous serons seuls tous les trois, même pas tous les trois... toutes les deux, maman — avec lui ! Je ne pourrai jamais !

Sa gorge palpite. Elle se lève. Elle joint les mains.

— Anne. Ne t'en va pas, je t'en prie. Je t'en prie. Ne nous laisse pas.

— Il est plus tard que tu ne penses, dit Anne de la même voix retenue, sans lever la tête.

— Maman ! crie Berthe en pressant contre sa poitrine ses petits poings gras, il faut les empêcher... elle n'aime pas Pierre... Ecoute !

— Tais-toi, ce sont tes nerfs, dit madame Aldrouze d'une voix précipitée. Tu n'as pas pris tes calmants. Tu sais bien que tu dois les prendre tous les jours. Tu le fais exprès, Berthe ? » ajoute-t-elle plus fort. Sa voix se brise. « Mais vous ne vous rendez pas compte que je vais mourir ? Vous êtes tous là à me torturer, avec votre égoïsme, et moi je vais mourir !

— Je t'en prie, dit Berthe plus calmement. Cela fait trente ans que je te connais, maman. Tu parles toujours de ta mort pour éluder les questions qui t'inquiètent.

— C'est la vérité, Berthe. Je ne voulais pas vous le dire : Le Gall est très pessimiste.

— Il ne sait pas ce que tu as.

— Il juge sur l'état général, tu comprends ? Et il est très pessimiste...

— De toute façon nous mourrons tous. C'est toi qui es égoïste, à la fin, à vouloir être la seule à mourir. » Elle recule. Des larmes font briller ses yeux. « Et moi, alors ! moi qui n'ai pas vécu, moi qui n'aurai pas vécu — qu'est-ce que je devrais dire ?

Ils la regardent tous, muets, pleurer. Alors elle se retourne vers Olivier, et murmure avec la douceur tendue et tremblante des voix qui se retiennent de supplier pour mieux convaincre :

— Toi, tu dois me comprendre. Empêche Anne de partir.

— Tu délires, Berthe ?

— Je suis certaine que tu me comprends. Ecoute...
l'après-midi quand tu montes soi-disant faire la sieste...
et le soir avant de te coucher, je t'entends marcher
dans ta chambre. Je sais bien pourquoi. Moi aussi je
marche.

— Pourquoi ? » Il allume une cigarette, fronce les
sourcils avec un sérieux feint, ironique. « Tu es amou-
reuse ?

— Je n'ai personne à aimer, tu le sais bien... Ose dire
que tu n'es pas comme moi. Toi qui es beau, au fond,
personne non plus ne veut de toi.

— Mais je ne demande rien. Veux-tu qu'on t'achète
un chat ?

— Berthe, gémit madame Aldrouze, monte prendre
tes calmants et couche-toi, je t'en prie ! Tu vas avoir
une crise.

Berthe frappe du pied ; ses joues sont violettes.

— Je sais ce que j'ai à faire, non ? J'ai trente ans. »
Tout à coup elle baisse et secoue la tête, les yeux fermés. « Anne... Anne, tu ne veux pas essayer de rester ?
Rien ne changerait, tout serait comme avant... je t'en
supplie.

La tête dans les mains, sa grosse poitrine irrégulière-
ment secouée, comme si elle pouffait, Berthe trébuche
jusqu'à la porte, se retourne et lève les bras. Sous
les aisselles, son chandail blanc est assombri par la
sueur.

— Je te déteste.. murmure-t-elle en les regardant
tour à tour.

Ils l'entendent courir dans l'escalier. Madame Aldrouze se précipite derrière elle.

141

— Qui déteste-t-elle ? murmure Olivier en haussant les épaules. Ça doit être moi.

Anne se lève. La pendule sonne la demie de neuf heures. De nouveau, dans les chênes, venant de la mer, le vent.

— Olivier... Tu crois que c'est vrai ce qu'a dit maman ?

— Mais non. Elle n'est pas si malade. En tout cas ce n'est pas une raison suffisante pour annuler ton départ.

Et, se balançant sur sa chaise, il sourit au filet de fumée qu'il rejette. Puis il regarde Anne : parce qu'elle ne comprend pas, ou refuse de comprendre ou parce qu'elle souffre, elle a tout à coup le visage figé, inexpressif, de l'amour. Tout à coup elle se retourne et disparaît. Il fixe un moment la place qu'elle a quittée. Une pomme qu'elle n'a pas achevée est posée sur la nappe. Il appuie son mégot dans son assiette, avec force, comme s'il écrasait un insecte.

Maintenant, après avoir fait quelques pas vains dans le jardin, il monte à son tour le large escalier de pierre. Ses mains sont froides. Il s'enferme à clé dans sa chambre et s'étend sur son lit. Il étouffe, se relève, marche autour de la petite table ronde — une fleur du tapis, les franges du tapis, le parquet devant sa fenêtre, une autre fleur du tapis... et de temps à autre il jette un coup d'œil sur le dos de sa main gauche, qu'il redresse d'un geste sec. Sur la peau brunie, les quatre cicatrices ressemblent à des confettis blancs. Une fleur du tapis ; de l'eau coule dans la chambre de Berthe. Les franges du tapis ; la tuyauterie trépide quelques secondes.

Il s'arrête. Une goutte de sueur qui a coulé de sa

tempe sur sa joue, reste un instant suspendue au bord
de sa mâchoire, grossit, brille et comme une larme,
tombe. Il arrache la couverture de son lit et s'en enveloppe, mais le froid monte le long de son torse, ses
dents claquent. Sortir — couloir — bouton de la porte
lisse poli et froid tournant doucement — bâillement
léger de la porte — chambre noire — lit s'approchant
invisible — heurt du genou contre le coin du sommier
— pas de lune — peu à peu taupinière de son corps
se gonflant et s'affaissant régulièrement — couchée sur
le dos serrant dans ses bras le trésor de sa poitrine —
bruit de son souffle — tic-tac du réveil — se pencher
— retenir sa respiration — médaille qu'elle garde pour
dormir — peau douce tiède odeur d'amande sur l'oreiller odeur légèrement salée à partir du cou odeur brune
tiède — palpitation de l'artère — faire glisser les doigts
— descendre le long du cou — redessiner dans la nuit
le visage du bout des doigts — enfoncer les deux
pouces sous les bords de la trachée — entrouvrir de
l'index les paupières et voir apparaître les rêves —
pupilles blanches révulsées extatiques folles.

Il arrache brusquement la couverture, tire la clé de
la serrure et ouvrant la fenêtre, la jette dans la nuit,
de toutes ses forces. La clé est sans doute tombée dans
le massif d'hortensias, ou un peu plus loin à gauche,
dans l'herbe, car il n'entend pas le bruit de sa chute.
Au moment de refermer la fenêtre, il s'immobilise de
nouveau, regarde le prolongement du rebord puis, deux
mètres plus loin, une imperceptible saillie dans la nuit,
le rebord de la fenêtre suivante. Il repousse les deux
battants, tourne l'espagnolette d'un sec coup de poignet et se remet à marcher autour de la table — une

fleur du tapis, les franges du tapis, le parquet devant sa fenêtre (qui fait résonner ses pas), une autre fleur du tapis (qui les étouffe). Il est calme, il ne frissonne plus, il lui semble être vaincu, paralysé par le froid. Il Il sait maintenant exactement ce qu'il va faire, la façon dont il va résister, hésiter, résister, céder. Il s'arrête. Une latte du plancher craque. Sa cigarette, oubliée dans un cendrier, fume encore. Il éteint la lampe et s'étend de nouveau.

Au bout de quelques secondes il se lève. L'obscurité est totale. Les bras tendus en avant, il cherche la porte mais ne rencontre nul obstacle. Le cœur battant, les yeux écarquillés, il avance, avance en vain sans rien saisir, les murs reculent devant lui, ou bien il a perdu le sens du toucher. La panique précipite son souffle, lui fait brasser l'air de ses mains jusqu'à ce qu'il bute tout à coup contre son lit et tombe en avant.

Aussitôt il cesse de trembler. Il allume la lampe de chevet. Pas et gestes calmes, précis, bras levés à mi-corps, tête inclinée, œil aigu, comme s'il affrontait à chaque mouvement un adversaire invisible, il contourne la table et ouvre la fenêtre.

Les bruits de la nuit emplissent ses oreilles. Il grimpe sur le rebord, calcule rapidement les prises, la distance, tend une main à tâtons, une jambe, et passe sur le rebord de la fenêtre suivante. Elle est entrouverte ; il la pousse et descend silencieusement dans la pièce.

— Qui est là... ?

Le jour de son arrivée, il était caché derrière un chêne, elle serrait un bouquet d'hortensias dans ses bras et disait de la même voix lente et blanche « Qui est là... ? » Toujours calme, un bras tendu pour écarter un obstacle possible, ou quelque invisible adversaire, il s'approche du lit.

— C'est toi, Olivier ? Pourquoi es-tu entré par la fenêtre ?

Il s'assied sur le bord du lit sans répondre. Il n'y a pas de lune. Il lui faut plusieurs minutes pour distinguer, à la place de la fenêtre, une vague tache blanchâtre, qui n'éclaire pas la chambre. Les mains sur les genoux, reprenant son souffle, il entend s'ouvrir les lèvres d'Anne. Qu'attend-elle, le corps tendu, les lèvres ouvertes ?

— Que veux-tu, Olivier ? Dis-moi ce que tu veux... tu me fais peur.

Il se laisse aller en arrière et s'étend à côté d'elle.

— Olivier, il ne faut pas dormir... Suppose que Berthe nous trouve ici demain matin...

Que cherche-t-il en elle ? Une passion vient-elle jamais du dehors, mystérieusement, ainsi qu'une grâce ? Les mouettes tournaient dans le soleil au-dessus de la jetée du Guilvinec, battue par une eau bleue et blanche. Quel âge avait-elle ? Maintenant il évite de toucher sa main, il ose à peine respirer son odeur — et elle a été cette petite fille affolée qui courait en criant sur la jetée du Guilvinec, cette petite fille espiègle qui s'appelait déjà Anne et qui ne manquait jamais de bêtises à faire ni de dangers à courir : chaque jour son étourderie naturelle y pourvoyait. « Anne, il ne faut pas boire l'eau des fleurs... » Elle s'était fait mordre par des chiens, elle avait mis le feu au grenier de la maison de Sèvres en préparant la bouillie de sa poupée (il la revoit, tenant contre son cœur une poupée aux cheveux noirs qu'elle appelait Annette et qui lui

ressemblait, la regardant par en-dessous, noire, espiègle, la fossette au creux de la joue, «Annette ne veut
pas te dire bonsoir.» et s'asseyant dans un fauteuil,
parlant tout bas à la poupée sur ses genoux, relevant
de temps à autre la tête pour le regarder sournoise-
ment, en riant, comme si toutes deux se moquaient de
lui et voulaient le rendre jaloux. Elle avait sept ans,
il en avait douze, il se sentait vieux, il mourait de
jalousie et il haïssait la poupée, mais parfois aussi il
la prenait dans ses bras et couvrait de baiser glacés
ses joues roses de celluloïd), des chiens l'avaient mordue, on ne comptait plus les vases qu'elle cassait, les
verres qu'elle renversait sur la nappe — et elle avait
des manies étranges, la manie de couper, l'idolâtrie
des ciseaux. Elle les dérobait dans le tiroir à couture
et coupait l'air près de ses oreilles, radieuse, les sourcils levés, écoutant avidement ce pépiement d'acier, ou
bien elle coupait les cheveux d'Annette, les rideaux,
les cahiers d'Olivier, ses propres robes, « Anne, il ne
faut pas couper tes robes... » « Anne, il ne faut pas
boire l'eau des fleurs... » Elle le regardait, la tête inclinée, un gros vase bleu dans les mains, et sans cesser
de le regarder elle en portait les bords à ses lèvres.
« Anne, je te dis qu'il ne faut pas boire l'eau des fleurs...
et puis tu vas casser le vase. » Olivier... Quand il s'approchait elle le laissait prendre le vase sans résister,
parfois même elle le lui tendait, candide et souriante,
Olivier..., et dès que je tournais le dos, tu te précipitais,
« Anne! Que t-ai-je dit ? »

— Olivier... il ne faut pas dormir.

Des chiens l'avaient mordue, des mouettes même
l'avaient attaquée. Elle courait sur la jetée du Guilvi-

nec, dangereusement au bord de l'eau blanche et bleue,
les bras croisés sur la tête, tandis que les mouettes des-
cendaient toujours plus près, la frôlaient de leur bec
arrogant et stupide — elle avait onze ans ? douze ans
peut-être ? une robe à fleurs qui serait démodée aujour-
d'hui, avec des épaulettes, et descendant juste au-dessous du genou — les mouettes la frôlaient, l'écume
l'éclaboussait, elle allait périr noyée, ou les yeux cre-
vés, le visage déchiqueté, et moi à l'autre bout de la
jetée je courais et criais vers toi et te tendais les bras,
« Olivier ! », et je n'ai jamais cessé de courir et de crier
vers toi et de te tendre les bras du fond de ma nuit et
de ma soif, Anne...

— Olivier !... Je t'en prie, il ne faut pas dormir !
— Qu'est-ce que tu dis ?
— Je te dis que tu t'endors. Tu as rêvé tout haut.
Pourquoi es-tu venu ?

Pourquoi ? Pourquoi ? Que cherchait-il ? Et durant
ces nuits d'hiver dans la maison de Sèvres quand le
vent venait rouler dans la cheminée comme un orage
(on entendait parfois sur le gravier le pas léger d'un
promeneur invisible : chat, feuille morte ou papier du
vent) pourquoi attendait-il dans sa chambre, l'oreille
collée à la cloison, le moment où Anne ferait sa prière
pour aller lui dire bonsoir ? Il entrait sans frapper, refermait la porte et s'y adossait ; elle continuait de réciter
l'*Ave* et l'*Acte d'Espérance*, ses cheveux noirs et lui-
sants pendant jusqu'à ses reins, secrète, à genoux au
bas du lit, en chemise blanche. On peut embrasser
une bouche, des yeux, mais comment embrasser un
sourire, un regard, et surtout leur expression, leur
lumière ? Comment posséder, non un corps, mais le

mouvement de ce corps ? Elle tournait la tête vers lui et il regardait ses cheveux noirs, il regardait ses yeux brillants, il regardait sa peau mate, et il aurait voulu que sa chair devînt tout à coup transparente et ne la cachât plus. Elle se relevait courait vers lui s'accrochait à son cou s'y balançait comme un pendule, frêle, légère,

et moi, toujours au suplice de cette soif étrange, je te portais jusqu'à ton lit, t'y bordais, embrassais tes deux paupières, éteignais la lumière et, te laissant glisser dans la nuit bienheureuse, toi et ta chair, je ramenais mon corps dans ma chambre où, plein de dégoût et de haine pour ce don empoisonné de ton Dieu, je le noyais dans le sommeil.

— Olivier ! il ne faut pas mourir...

Tout près de lui, ses cheveux, son odeur — cette odeur tiède et légèrement salée — un corps, un souffle, rien de plus... Peut-être chacun de nous invente-t-il sa façon d'aimer, un amour qui n'a nullement les intentions que l'on prête à l'amour, et qui paraîtrait monstrueux s'il n'en avait les apparences. Vanité d'un cœur qui s'épuise à inventer ce qu'il ressent, à se donner des désirs, et qui apporte tant de triste zèle à s'imaginer souffrir ! J'ai dû tout inventer seul ; je me suis toujours voulu ; j'ai régné sur moi chaque jour. Qui suis-je ? Qui étais-je ? Je ne trouverai jamais ma nuit. C'est moi que je prie, c'est moi qui m'exauce. Dieu dans sa haine nous a tous laissés libres. Mais il nous a donné la soif pour que nous l'aimions. Je ne puis lui pardonner la soif. Mon cœur est vierge, rien de ce que je conquiers ne me possède ! On ne connaîtra jamais de moi-même que ma soif délirante de connaître. Je ne

suis que curieux. Je scrute. J'explore. La curiosité c'est
la haine. Une haine plus pure, plus désintéressée que
toute science et qui presse les autres de plus de soins
que l'amour — mais qui les détaille, les décompose. Me
suis-je donc tant appliqué à te connaître, Anne, ai-je
passé tant de nuits à te rêver, placé tant d'espoir à
percer ton secret indéchiffrable, et poussé jusqu'à cette
nuit tant de soupirs, subi tant de peines,

pour découvrir que mon étrange amour n'était qu'une
façon d'approcher la mort ?

— Qu'as-tu Olivier ?

— Anne.. Tu dis qu'il ne faut pas mourir... ?

— Je dis qu'il ne faut pas dormir. Si jamais je m'endors moi aussi et qu'on nous trouve ensemble demain.
Va t'en. Je t'en prie. A quoi bon rester ?

— A quoi bon ?

Leurs voix sont contenues, chuchotantes ; dès qu'ils
se taisent, ils cessent de respirer.

— Je t'assure, Olivier. Il faut que tu t'en ailles.

Il se redresse et tente de la voir, appuyé sur un
coude.

— Alors toi aussi, Anne, murmure-t-il tranquillement ; tu t'imagines que je te désire ?

La main d'Anne écrase aussitôt sa bouche : « Tu es
fou ? »

— Sois tranquille, ma petite Anne... dit-il en se levant,
tu ne brilleras jamais pour moi que du côté où je
t'éclaire...

Tout à coup il revient vers elle, se penche et embrasse
son front, en pressant d'une main son épaule.

— Anne je n'en peux plus. J'ai voulu tout compliquer par orgueil, mais les meilleurs moments de ma

vie, c'étaient les moments simples, quand je t'attendais à la sortie de la messe, quand nous courions dans les fougères... J'ai bêtement refusé la vie ; j'avais peur de rater autre chose... Mais quoi ? Anne, dis-moi ce que je cherchais, ce que j'aurais dû faire !

Elle reste immobile. Penché au-dessus d'elle, Olivier ne voit que la nuit...

... la nuit lui paraît étouffante et pour rafraîchir son visage il se met à courir. Il court d'une traite jusqu'à la route, puis remonte à travers la lande vers la villa de Pierre ; mais à mi-chemin il s'arrête, fait demi-tour, regagne la route en courant. La nuit est sombre, il ne distingue pas le relief, la nuit est sombre, il trébuche à plusieurs reprises. En coupant de nouveau à travers la lande pour rejoindre la plage, il se tord la cheville dans une ornière et tombe à plat ventre dans les ajoncs dont il ne sent même pas les épines déchirer ses mains, son visage, se relève presque aussitôt, haletant, et court de nouveau vers la mer. Il court, il ne sait pas qu'il court, son corps seul écoute, calcule les ultimes palpitations de son cœur, les ultimes efforts dont ses muscles seront capables, sans se soucier de l'usage qu'il veut en faire ni du but qu'il comptait atteindre. Il s'arrête au bord de l'eau, son visage lacéré par les tiges des ajoncs et les ronces, haletant, suffoquant, la bouche crispée, et il s'allonge sur le sable, rafraîchit avidement ses mains, son visage, puis se retourne sur le dos. Mais la fraîcheur du sable, le bruit régulier de l'eau ni l'immobilité des étoiles ne l'apaisent. Il se relève et marche en boitillant le long de la mer, vers le port. Devant l'Hôtel des Bains il s'arrête, regarde, au premier étage, la fenêtre de la chambre d'Ariane et juste à côté celle de Nicolas. Toutes deux sont closes.

XII

Il s'agenouilla, et posant les mains à plat sur le sable, il resta plusieurs minutes à la regarder. Elle était couchée sur le côté, le corps cassé en angle droit ; quand il eut ramené ses jambes dans le prolongement de son torse, elle eut l'air si naturel, les yeux grands ouverts, le visage tranquille, sans la moindre plaie, qu'il la crut vivante. « Anne », répéta-t-il d'une voix douce, attendrie, comme à un enfant qu'on éveille. Dans la nuit tombante, le sang n'avait pas de couleur. Mais l'eau luisait encore, d'une lueur de plus en plus sourde, plus pâle, et pourtant plus éblouissante, parce que la lumière déclinait moins vite sur la mer que la nuit ne tombait sur la plage. Toujours agenouillé, regardant tour à tour l'océan et l'ombre, il lui semblait que le jour et la nuit n'étaient plus deux états successifs du temps, mais deux domaines limités de l'espace, et qu'il se trouvait à leur frontière, entre leurs portes, sur une frange immatérielle, inconnue, enfin pareille à l'un de ces lieux imaginaires où il avait tant rêvé d'emporter Anne, pour la séparer du monde. Personne ici ne pour-

rait les atteindre. Quelques secondes encore, avant que
l'obscurité, le ramenant à la vie, ne le sépare d'elle
pour jamais, quelques secondes pendant lesquelles il
pourrait la soulever de terre et, la tenant dans ses
bras, avancer vers l'eau, franchir ces portes blanches
et liquides, entrer enfin avec elle dans le paradis de
la mer sans l'avoir jamais quittée. Mais il se releva
seul ; il marcha seul jusqu'au liseré blanc de l'eau, se
retourna — et il souffrit.

Il resta d'abord pétrifié, les yeux fixés sur ce corps
que la nuit achevait d'ensevelir. Puis il revint vers elle,
se pencha, la prit dans ses bras et se mit à marcher le
long de la plage. Il avançait d'un pas lent, sans la
regarder, la portant couchée le long de sa poitrine. Là
où tout à l'heure, Anne était étendue, la mer jouait
avec un petit râteau de caoutchouc oublié par un
enfant. Elle montait, et bientôt elle effacerait leurs
traces, comme la nuit, ou plutôt le jour traversant ses
paupières, effaçait déjà, là-bas, leurs corps en croix qui
s'éloignaient.

Il sauta de son lit, regarda sa montre, il était midi.
Louise, sans doute, passait l'aspirateur dans la chambre de Berthe ; une guêpe étourdie de lumière rebon-
dissait contre les murs. Comme chaque matin, il prit
une douche froide. Par la porte ouverte de la chambre
d'Anne, il aperçut une valise ouverte, en tissu marine,
posée sur le lit défait. La robe de tissu éponge rouge
était pliée au-dessus : il se souvint de la petite écor-
chure de son genou gauche, lorsqu'ils étaient allés à
Griec. Des escarpins, des sandalettes, des babouches
jonchaient le parquet ; la chemise de nuit tombait de
l'oreiller et s'affaissait comme un lait mousseux sur

la carpette. Le soleil éclairait ce désordre. Olivier s'habilla.

— Non. Elle ne reviendra pas déjeuner. Elle fait des courses à Brest avec Pierre.

Après le déjeuner il prit seul le chemin de la plage. Parvenu au tournant qui domine la mer (taches moins nombreuses des parasols, baigneurs plus rares, rumeur plus étouffée, lointaine, « les enfants... les enfants... ») il fit demi-tour, coupa à travers les fougères et gagna la falaise d'où Anne était tombée dans son rêve. L'avait-il poussée ? Ce rêve, et plus encore sa course nocturne, lui paraissaient tout à coup très anciens, comme si, ayant trop vite épuisé les paysages inconnus, les réserves de surprise qui nous permettent de durer — de nous survivre — il se rapprochait dangereusement du point où, éclairé sur lui-même, il ne lui resterait plus qu'à simuler la vie ou à mourir.

D'un geste d'enfant, il releva et lissa sa mèche. La mer, au-dessous de lui, se soulevait et s'abaissait en larges nappes lentes. Il éprouvait cette légèreté endolorie que provoquent les grandes fatigues, ou l'insomnie. Il aurait voulu parler, il aurait voulu voir et toucher, et il n'y avait personne et il n'y avait rien. Les bruits — parfois celui du vent, toujours celui de l'eau, — les bruits ne lui parvenaient plus qu'étouffés par leur étrangeté. Toute chose devenait un scandale à force d'être inconnaissable. Il lui semblait que la vie, les objets, les autres et lui-même, tous participaient à quelque entreprise d'égarement.

Il s'assit, les jambes croisées, la figure amincie, une cigarette aux lèvres, le regard indéfiniment promené sur la houle longue. Tout à coup il se souvint d'une promenade avec Pierre dans la nuit de mai (en plein champ une silhouette découpée dans la lumière d'un feu d'herbe s'inclinait et se redressait comme une flamme, des crapauds au loin, les notes fraîches et liquides des oiseaux dans les arbres rendaient la nuit matinale). Il entendit aussitôt Anne murmurer « Qui est là ? », s'avançant sur la pointe des pieds, dans l'ombre, il revit d'autres minutes encore, où il avait eu, en pleine course, la chance de frôler un coude, un visage — un instant, un très court instant avant que chacun ne dérive, haletant et poursuivi. Il aurait fallu fermer les yeux le plus possible, accepter de croire à l'amour, comme aux premiers moments de ces vacances, à la fin du mois de juillet, quand il redoutait encore de la perdre — et surtout ne pas descendre dans cette lumière glacée où se consumaient jusqu'aux cendres des choses.

Il était tard. Il était trop tard. Il se leva, Pierre et Anne l'attendaient à la maison, où ils dînèrent. Ils parlèrent peu ; Berthe but beaucoup ; décidée à les accompagner chez François, elle était immobilisée jusqu'au cou dans une ample robe d'apparat blanche et bruyante, et sans tourner la tête elle les épiait d'un œil de mouette.

— La prochaine fois, murmura Louise en posant sur la table un compotier de pommes, vous ferez mieux de me dire que vous ne voulez pas dîner.

— Il n'y aura pas de prochaine fois, Louise, dit Olivier.

Il monta s'habiller. De sa chambre il entendit des pas, des appels, le heurt d'une valise contre une porte — et il se souvint du soir où, marchant dans l'odeur

des feux d'herbe vers un chant de guitare, il avait
imaginé le départ d'Anne. Il resta un moment debout
à sa fenêtre ; le ciel violet sentait la pluie. Il entendit
la voix de Pierre : « Ce n'était pas la peine de prendre
ce sac-là... » Il s'agissait sans doute du petit sac bleu
d'Air-France, qu'Anne emportait partout par coquet-
terie. Il entendit encore : « tu les mettras dans... » Un
courant d'air ferma la porte d'entrée. Il descendit. Au
bas de l'escalier sa mère pleurait doucement, tenant
Anne embrassée.

Anne s'écarta un peu, le visage infléchi, souriante et
triste.

— Tu sais, maman... je reviens dans quinze jours.

— Mais ce sera à Paris. Je ne te reverrai qu'à Paris.
Tu repartiras tout de suite... Tu ne reviendras plus ici.

— Mais si ! L'année prochaine. Pierre t'a dit...

— Ah ! L'année prochaine...

Ils restèrent un moment immobiles près des voitures.
« Il va pleuvoir », dit madame Aldrouze. Olivier monta
dans sa Dauphine. « Anne tu as pensé à ton imperméable ? » dit madame Aldrouze. « Il est dans l'auto. »
Elle ne bougeait pas. Pierre jouait avec ses clés sans
rien dire. Olivier pencha la tête par la portière.

— Eh bien, Anne. Avec qui montes-tu ?

— Comme tu veux.

— Comme je veux ? Pourquoi comme je veux ?

Elle s'assit à côté de lui, Berthe monta dans la quatre
chevaux. Olivier vit sa mère, debout sur le perron,
comme le soir de son arrivée, dans la lumière des
phares. Son ombre immense chancela sur la façade
mais elle ne bougea pas, ne cligna pas des yeux, ne
leva pas la main tandis que la voiture tournait. Elle

156

diminua dans le rétroviseur, éclairée par les phares de la quatre chevaux, puis elle disparut tout à coup.

— Cela m'ennuie de laisser maman... dit Anne.

Ils s'arrêtèrent au bord de la pelouse, devant la villa de François, sans qu'Olivier eût répondu.

La terrasse, où l'on danse déjà, est prise dans la lumière blanche d'un réflecteur; la musique vient du salon dont la fenêtre est ouverte; Ariane tend la main.

— Jésus! dit Olivier. *Me zo fichet!* « Que je suis bien mise! »...

La quatre chevaux s'arrête à côté d'eux. Berthe (serait-elle descendue si Pierre ne lui avait ouvert la portière?) reste aux abois près de la voiture.

— Bonsoir, Berthe, dit derrière elle une voix trop douce.

Un visage basané est contre le sien. Berthe recule.

— Monsieur.

— Appelez-moi Nicolas. Je vous appelle bien Berthe. Notre cher Olivier a l'air en forme, ce soir.

— Je n'en dirai pas autant de notre cher Nicolas, dit Olivier: vous avez des poches sous les yeux.

— Je vous amène un pensionnaire de l'Hôtel des Bains.

Un jeune homme en costume bleu marine qui se tenait derrière Nicolas tourne la tête: de profil, il avait un joli visage de fille — mais quand ses yeux pâles regardent en face, entre ses paupières tombantes, il ressemble à un vieillard vicieux. « C'est vous qui vous êtes fait piquer par un poisson? » dit Anne. Nicolas

saisit Olivier par le coude, l'entraîne à travers la
lumière violente de la terrasse (où François, qui danse
avec la grosse fille rousse, leur crie : « Les dieux ont
soif ? ») jusqu'au salon où règne le buffet.

— Il n'y a pas grand-chose à boire, dit Nicolas en
posant sur Olivier un regard douloureux et fixe.

— Si nous allions prendre un verre ? propose à Berthe le jeune homme de l'hôtel des Bains.

Les jumeaux buvaient. François buvait : « Ma femme
est allée refaire du punch, il faut se saouler ce soir, se
saouler à en crever ! » Ariane elle-même buvait. Berthe
eut bientôt bu le tiers de la bouteille de scotch. Plus ils
s'animaient, plus Olivier était absent, debout dans l'em-
brasure orangée de la fenêtre, visage glissant derrière la
fumée, mèche tombante, lèvre basse. Anne vint s'ap-
puyer près de lui ; il n'ouvrit pas la bouche. Tous deux,
la tête tournée vers l'océan, parurent un moment con-
templer quelque chose — mais comme ils ne pouvaient
rien voir dans ces ténèbres, on eût dit qu'au lieu de se
taire pour mieux regarder, ils feignaient de regarder
pour mieux se taire. François entraîna Anne pour danser. Tout à coup la gorge d'Olivier se noua. Tout lui
parut noyé dans un brouillard turbulent — les jumeaux
poursuivant la fille rousse sur la terrasse, glissant de
force un verre de punch entre ses lèvres, « Non ! vous
êtes dégoûtants ! c'est sucré, vous dis que ça tache ! »...,
là-bas, au-delà de la terrasse, un rire qu'il ne voyait

pas montait en volutes sous les arbres, tandis que le
jeune homme de l'Hôtel des Bains rattrapait de justesse un vase de glaïeuls qu'il avait en dansant heurté
du coude, et trois jeunes filles, tout à l'heure juchées
sur la banquette du piano comme des oiseaux de septembre, s'envolaient toutes ensemble, se précipitaient,
« soyez tranquilles, mesdemoiselles... je suis maladroit
mais je ne casse rien », « c'est bien notre avis ! » —
elle allait partir !

Et tous, quelques heures après elle, tous allaient partir : le pensionnaire de l'Hôtel des Bains qui invitait
maintenant Anne à danser et cet inconnu (amené par
qui ?), un de ces bruns un peu gras qui blanchissent
à la boisson, bourrant sa pipe à contrecœur — tous, y
compris la petite sœur de François, qui, après avoir
demandé à plusieurs reprises « si on faisait un jeu ? »
(et personne ne l'avait regardée, et personne ne lui
avait répondu) s'était posée en sa robe blanche sur la
balustrade de la terrasse, tel un liseron, au bord de la
tonnelle de la nuit,

tous, ainsi qu'elle : les bretelles de sa robe bleue sur
son dos nu, son dos bruni — elle qui dansait avec le
jeune homme de l'hôtel des Bains et avait voulu mon-
trer à Olivier, en bâillant à dessein par-dessus l'épaule
de son cavalier, qu'elle s'ennuyait, et en le regardant
très longuement (tournant même la tête pour garder les
yeux sur les siens) qu'elle se fût préférée près de lui,
et en regardant Pierre aussitôt après, qu'elle redoutait
ce départ, et peut-être même, en gonflant lentement
ses jeunes seins légers, en faisant lentement chavirer
ses paupières, qu'elle souffrait, qu'elle soupirait après
lui,

elle, elle qui demain soir à cette heure-ci, ou au plus tard après-demain, découvrirait bon gré mal gré entre les bras raidis de Pierre et sous sa bouche sans goût la solitude du plaisir,

elle comme les autres, tous allaient partir. Et il semblait à Olivier qu'il resterait toujours en Bretagne, qu'il serait toujours de Bretagne, qu'il attendrait seul ici et l'automne et l'hiver, seul au manoir ou marchant sur une grève, le long de la mer sans voile, tandis qu'Ariane et Nicolas dans les lumières de Paris, Pierre et Anne dans la chaleur de Beyrouth, poursuivraient leur trajet infidèle. Ils allaient partir : leurs danses, leurs cris lui parurent sacrilèges : des bravades, des plaisanteries macabres. Certains sans doute ne verraient jamais plus Portsaint, ne feraient jamais plus à bord de l'Enez-Heussa le voyage d'Ouessant — il n'y aurait plus pour eux de vacances bretonnes entre ce dernier soir et leur mort. Ils dansaient et ils mouraient. A quelques heures de leur départ, gloussantes et pouffantes, les jeunes filles du piano poursuivaient leur conciliabule d'hirondelles. Les deux jumeaux surgissaient à la porte du salon, le torse nu, la tête de l'un coiffée d'un saladier, l'autre d'une passoire. « Nous partons faire la guerre de Trente Ans. » « Qu'est-ce qu'ils disent ? » demanda une demoiselle du piano. « Qu'ils partent pour la guerre de Trente Ans. » « Oh ceux-là ! ce qu'ils sont drôles. » Tirant de sa poche un canif l'un des jumeaux se mit à fendre les bretelles de son frère. « Pourquoi fais-tu ça ? » « Pour te couper tes effets. » « Ce qu'ils sont drôles. Je me demande où ils vont chercher tout ça... » « Tu crois que c'est préparé, toi, Catherine ? » Olivier voyait les deux pitres à demi saouls,

debout à la fenêtre d'un wagon, s'éloignant, la tête
tournée vers la gare de Brest — précieux tout à coup,
exemplaires. Il eut un vertige, s'adossa au mur, ferma
les yeux. « Ça ne va pas ? » Sur les dalles de la terrasse, une coupe tombe, tinte et vole en éclats.

— Ça ne va pas ? Olivier, vous n'êtes pas bien ?

Il ouvre une paupière, pose sur Ariane un œil hau-
tain.

— Ah, c'est vous.. Naturellement.

— Olivier... écoutez-moi une seconde. Nicolas veut... »
Elle regarde très vite autour d'elle. « Voilà : Nicolas et
moi nous avons la possibilité de rester quelques jours
de plus.

— Vraiment ? dit-il en fronçant les sourcils. Et
pourquoi ça ?

— Nous avons pensé qu'après le départ de votre
sœur... et des autres... vous risquiez de vous sentir seul
je veux dire... c'est un peu triste que tout le monde
parte au même...

— Vraiment ? répète Olivier avec sécheresse. Mais
c'est tout à fait charmant ces petits complots de cha-
rité.

Elle le regarde. « Ce n'est pas... » Il pose les mains
sur ses épaules.

— Chère Ariane : j'aime bien votre douceur et votre
bonté, mais je vous en prie, ne les désespérez pas !... en
les essayant sur moi. Quant à Nicolas, qui ne semble
pas encore avoir compris que je déteste les complices,
dites-lui qu'il m'assomme.

— Merci bien, répond Nicolas derrière lui. Quel
démon ! » Il penche un peu la tête. Son sourire tout
à coup fait saillir ses lèvres. « Je viens pourtant de

161

6

comprendre une ou deux choses qui vous intéresseront sûrement.

— Allez boire, Nicolas. Je suis crevé... Rien ne m'intéresse.

— Ecoutez, dit Nicolas à mi-voix ; vous venez de vous conduire avec Ariane exactement comme avec votre sœur...

— Anne ? Pourquoi ?

— C'est un peu à cause de vous qu'elle s'en va dimanche. Elle voulait, elle ne voulait plus... Pierre attendait... Ce n'est pas très malin à deviner.

— Et alors ?

— Et alors ? Vous vous êtes dit que vous seriez bien sot de saisir la proie, quand vous pourriez avoir l'ombre.

Olivier s'appuie d'une main au mur ; il sourit, ses paupières battent.

— Vous n'êtes pas si bête, dit-il d'une voix molle. Mais il n'y a pas d'ombre.

— Ni proie ni ombre ?... Méfiez-vous, Olivier ! Vous êtes du bois dont on fait les croix.

Olivier hausse les épaules, marche jusqu'au buffet, saisit un verre de punch et le vide. Pierre est aussitôt contre lui.

— J'ai deux mots à te dire.

— Une seconde...! Pierre, je buvais à ton mariage.

— C'est grave, dit Pierre.

Ses doigts se sont refermés sur le poignet d'Olivier, qui le regarde, hausse les épaules et le suit sur la terrasse, le long de la pelouse, enfin sous les arbres.

— Olivier nous ne nous reverrons plus, lança Pierre d'un trait en s'arrêtant. J'épouserai Anne à Paris,

162

quand nous reviendrons d'Espagne. Nous partirons directement sur Beyrouth. Nous ne reviendrons pas.

— Je m'en suis douté quand Anne nous a dit que tu voulais repasser par Paris. Mais crois-tu pouvoir la convaincre.

— Tu sais bien qu'Anne est toujours du côté de ceux qui sont là.

Ils se remettent en marche. Sur la gauche un petit chemin descend vers le bruit lent et gris de la mer. Olivier allume une cigarette.

— Et... pourquoi as-tu pris cette décision héroïque ?

— Parce que j'en ai assez. J'en ai assez de la France, j'en ai assez de ma famille, j'en ai assez de tout. Je voudrais tout recommencer... loin de toi.

Au son de sa voix, Olivier peut deviner l'ardeur attentive de son visage. Il s'est arrêté à la naissance du sable. Il dit tranquillement :

— Que t'ai-je fait ?

— Qu'importe, si c'est ta faute ou si c'est la mienne ! Je suis devenu... physiquement allergique à tout ce que tu dis ! Notre conversation de l'autre soir m'a encore fait beaucoup de mal. Je ne peux pas lui échapper. Il faut me comprendre Olivier : je vais finir par te haïr. Je te regardais boire tout à l'heure... et tu ne peux pas savoir comme je haïssais la façon dont tu buvais, dont tu te léchais les lèvres... et cet empire que tu as sur les autres.

Olivier s'éloigne sur le sable sans bruit.

— Je suis content, dit-il en se retournant, avec une cauteleuse lenteur, de te voir enfin éprouver un sentiment humain.

Pierre le rejoint, agrippe son coude ; à travers un

nuage un instant déchiré, un halo de lune blanchâtre, pareil au rayon d'une lampe de poche, tombe sur le visage d'Olivier — sa mèche, ses yeux félins, le triste et sinueux sourire de ses lèvres — et Pierre le lâche, soupire, dit à voix basse en baissant la tête : « Tu es un type qu'il faut adorer aveuglément... ou tuer. Mais tu méprises ceux qui t'adorent, et tu seras toujours seul. »

— Pierre, dit Olivier brusquement, je crois que j'ai tout raté.

Il semble hésiter quelques secondes, une main à demi levée, la respiration suspendue. Il jette sa cigarette et se détourne :

— Rentrons. Anne doit s'inquiéter.

— Tous les valets ! dit le jeune homme de l'Hôtel des Bains. Eh bien, Anne, j'espère que vous êtes gâtée... ! Je suis dedans ?

Berthe secoue la tête. Elle regarde les cartes. La lumière d'un lampadaire tombe juste sur sa figure. « Je ne sais pas encore, dit-elle. Recouvre-les, Anne. Recouvre aussi le neuf de pique. » Elle retourne les cartes une à une. « Vous y croyez, vous, Jacques ? » dit François. L'homme brun retire sa pipe et la regarde : la pipe ne répond pas ; il la plante à nouveau entre ses dents.

— C'est étonnant ! dit Berthe. Je n'invente rien : un jeune homme blond qui t'aime doit partir en voyage. Regarde toi-même : le neuf de carreau.

Elle reste un instant silencieuse, ses yeux sont toujours baissés, elle murmure plus lentement : « il se

164

trouve que tu en aimes un autre... » Anne sourit en pâlissant. La bretelle qui claquait s'arrête. Nicolas cesse de siffloter.

— Déjà ? dit le pensionnaire de l'Hôtel des Bains. Je n'en crois pas mes oreilles.

— Ce n'est pas vous. Voyez l'as de cœur...

Le pick-up s'est arrrêté. Une jeune fille maigre, les yeux tendus, s'approche à son tour. « Recouvre encore » dit Berthe. Au même instant Nicolas tend la main vers un paquet de gauloises et renverse le verre de Berthe.

— Oh je suis désolé ! Cela doit tacher... Il repousse les cartes, éponge avec son mouchoir le tapis de la table à jeu.

— Ça ne fait rien, dit François, il était mité.

— Et puis j'ai tout gâché... Excusez-moi, Anne.

Berthe n'a pas levé la tête ; ses petits yeux noirs et sans cils frappent deux fois Nicolas par en-dessous, avec méfiance.

— Vous avez des gauloises dans votre poche.

— Je suis désolé, répète Nicolas. Je commençais à trouver ça passionnant. Berthe, me pardonnerez-vous si je vous invite à danser ?

— Danser ! dit Berthe. » L'ivresse qui la protégeait disparaît tout à coup, elle tourne à droite et à gauche un figure blanche. Olivier, Nicolas, Ariane, les jumeaux, une jeune femme très maigre, l'homme à la pipe, tous debout autour d'elle, la regardent. « Danser, monsieur... ? Avec vos jambes !

— Avec mes jambes... ? répète-t-il en riant. Avec quoi voulez-vous que je danse. Sur les mains ?

— Mais je crois que vous boitez.

Nicolas rit encore, avance une main comme pour lui

caresser les cheveux, si près, si près de sa tête qu'elle doit pour l'éviter se pencher en arrière — et de nouveau son visage est juste sous l'abat-jour, en pleine lumière, tout à coup écarlate. La chaise en face d'elle est vide : Anne et Pierre ont disparu.

— Bien sûr... mais je boite en mesure. Vous verrez...

— Je ne sais pas danser.

— Moi non plus. Venez, Berthe...

— Olivier, dit-elle d'une voix nouée, il est tard, je veux rentrer. Ramène-moi.

— Rentrer ? » Il penche un visage caressant. « Je commence juste à m'amuser.

Berthe entend battre son cœur. Du visage de son frère elle ne voit plus, comme sur un dessin inachevé, que les deux yeux noirs qui la fixent, durs, trop rapprochés, et la mince lame du nez qui les sépare. Il grignote un de ces petits fours à la vanille dont elle s'est bourrée tout à l'heure, et qui, dilués dans le punch, se soulèvent maintenant dans son estomac, répandent dans sa bouche un goût de beurre.

— Je veux rentrer ! répète-t-elle. J'ai mal au cœur... Je suis malade.

« Qu'est-ce qu'elle a ? Je n'ai pas entendu. » « Elle est malade. »

« Malade ! » répète la jeune femme maigre. Le cou tendu, les clavicules saillantes, fragile et veinée comme une feuille dans sa robe de mousseline de soie, elle regarde Berthe avec extase. « Jacques ! Tu es médecin, oui ou non ?

166

Lorsqu'elle reprend conscience, ils ont tous disparu. On l'a rhabillée. Elle s'assied sur le lit.

— Comment te sens-tu... ?

Anne est assise sur une chaise de l'autre côté du lit. Le regard de Berthe noircit, mais elle se force à sourire.

— Tout à fait bien. Je vais rentrer.

— Nous allons te ramener, dit Anne, les yeux baissés.

— Ecoute, Anne. Je voudrais rentrer seule. Je prendrai la voiture. Pierre vous ramènera. Je t'en prie...

Anne revient, lui tend les clés de l'auto, toujours silencieuse, la tête baissée. Berthe les saisit et s'éloigne jusqu'au fond de la chambre.

— Par où sors-tu ?...

Elle ne répond pas, elle ouvre la fenêtre, enjambe la barre d'appui et disparaît dans le jardin.

XIII

Bientôt Olivier cessera pour jamais de se débattre. Il revoit encore une aube couleur d'étain engloutir peu à peu le salon dévasté, où ils ne sont plus qu'une dizaine, le menton bleu, assiégés par la lumière, se raccrochant à des pans de nuit — sur le divan, derrière le piano — comme aux débris sombrant d'une épave. Rien ne bouge que la fumée de cigarettes qui se consument toutes seules entre leurs doigts immobiles. Nicolas a disparu. Renversée sur le canapé, ses cheveux blonds flottant dans la lumière de l'aube, Ariane dort. Le pick-up est éteint mais on entend encore, à la radio, ondoyer une valse mourante. Quelqu'un se lève, fait quelques pas, des miettes de biscuit craquent sous sa chaussure.

Il revoit Anne debout, le visage jauni, chiffonné, battant d'une main sa robe fanée, François, les paupières lourdes, balbutiant des souhaits de bonheur avec la dignité de l'ivresse, embrassant pompeusement Anne sur les joues, répétant en lissant sa moustache rousse « Si vous passez par Barcelone, je connais... je connais... » et concluant : « je connais très bien Barcelone », en hochant lourdement la tête.

Il revoit (ne la réveillez pas : vous lui direz au revoir pour moi. Bon voyage, écrivez-nous. Ecrivez-nous... écrivez-nous ! Peut-être l'année...) le vase de glaïeuls filer sur sa droite, la banquette du piano, deux jambes d'homme, un pan de mur,

et ils sont tous les trois sur la terrasse, dans l'aube, marchant très vite, s'éloignant déjà sous les arbres, entendant la mer.

Ariane avait couru derrière eux.

— Olivier.

Il avait vu les essuie-glaces balayer quelques secondes le pare-brise perlé de rosée.

Glisser le gris laminé de la route le long de l'aile arrière.

Passer le village endormi de Portsaint, le garage au rideau de tôle ondulée (vous vous souvenez Pierre ? le jour de votre arrivée, quand nous sommes revenus chercher votre auto ? — Oui, vous aviez pêché un petit crabe...), passer le rivage au bord de la mer, passer le virage au-dessus de la mer, pareille dans l'aube à quelque champ de glaise mouillé. « Vous êtes fous de conduire si vite... vous avez failli nous noyer. » « N'ayez pas peur, Anne. Cela m'ennuierait trop de revoir ma vie », Anne tourner la tête et regarder Pierre en riant (ainsi que le jour de l'arrivée de Pierre, « Eh bien, Anne, tu descends ? » Et Pierre : « J'ai invité Anne à dîner »), passer le calvaire aux bras toujours vides, les tilleuls jaunissants, la barrière ouverte...

la façade du manoir s'arrêter devant la voiture, et

quand le moteur s'était tu, des oiseaux chanter dans les chênes.

Les oiseaux disparaître et la voiture redescendre l'allée (un bout de la robe bleue est pris dans la portière), freiner devant la barrière — puis l'allée vide, la barrière ouverte, les chants du matin sur l'air lointain de la mer. Immobile il essaie de se rappeler à quel poignet Anne portait son bracelet d'ivoire. Là-bas, le bruit du moteur resurgit au loin sur la route et disparaît tout à fait.

Alors, à plusieurs reprises, quelqu'un l'appelle: « Olivier? Olivier... ? » C'est une voix attendrie, ironique et chantante, comme on appelle un enfant qui se cache mal et que l'on feint de ne pas voir. Tous les volets sont clos. Il attend. Tout s'est tu. Ouvrira-t-on, tout à l'heure, les volets de ce qui fut la chambre d'Anne? Laissera-t-on la pièce reposer dans l'ombre, fermée, déserte, condamnée, comme les chambres des morts dans les vastes châteaux? En ce moment, le long de la route, sur leur gauche, la haie de genêts devient sans doute une masse lisse et compacte dont s'éteignent de plus en plus vite les fleurs...

Il disparaît un instant dans le garage.

Entre les feuilles percent les premiers rayons du soleil — d'étroits ruisseaux de lumière pâle où coulent des grains de poussière. La façade du manoir est encore baignée d'une ombre rose, limpide. Bientôt elle sera tachetée çà et là par les ombres mouvantes des feuilles, dans les derniers grésillements et les dernières lumières de l'été. Alors ils franchiront Brest, le pont de l'Arsenal, le port où fumeront des bateaux gémissants; en roulant dans la rue de Siam, ils pourront revoir le bar où ils ont dansé, sous le regard d'un chat de porcelaine.

Landerneau passera, des haies basses des pommiers des églises que le soleil levant fera sonner. Guingamp, Morlaix passeront. Juste après Saint-Brieuc au sommet d'une côte, d'un garage où ils feront le plein d'essence, ils verront pour la dernière fois, loin derrière des prés entre des arbres, dans la lumière de midi, la mer. Ils déjeuneront à Dol, dernière ville bretonne — Dol, Dol de Bretagne... et flâneront quelques temps le long de la frontière — un dernier verre de cidre, une dernière crêperie, les derniers écussons bretons au fronton saillant des maisons — avant de remonter en voiture et d'entrer dans le reste du monde.

Alors commencera la descente par Argentan Laigle et Verneuil les bois de Nonancourt les haras du Pin un cavalier solitaire éclairé par les phares sortant d'un chemin forestier. Fatigué de conduire, Pierre s'arrêtera peut-être quelques minutes au bord d'un village inconnu dont les maisons fumeront dans le soir : l'Angélus sonnera sur deux notes ; derrière une colline ou une forêt une lune blanche se lèvera dont ils ne verront que le reflet sous les nuages. Les rues déjà sont vides, on ne peut voir les habitants qu'à travers les vitres d'un café — ou une jeune fille à sa fenêtre regardant la lune ou se peignant, ou parfois un enfant solitaire, une fillette parlant à un chien qu'elle regarde, la tête de côté. L'odeur de la brume et de la fumée se confondent, puis la cloche hésite, faiblit, s'arrête, et des voix se lèvent alors — mais lointaines, étouffées par les murs épais des maisons, ou couvertes par les

171

bruits de pas de promeneurs que l'on ne voit jamais...

Le lendemain, à Paris, ils obtiendront d'un ami un certificat médical, ils se feront inscrire au registre des bans, ils réuniront des papiers officiels, et ils partiront pour l'Espagne. Septembre s'étendra déjà sur la Bretagne.

Septembre s'étendra sur la Bretagne, les jours déclineront encore, des autos démarreront devant les hôtels, leur toit chargé, bâché sous les nuages. Parfois, seul à l'arrière, un enfant écrasé entre la portière et un monceau de bagages, de manteaux, regardera une dernière fois la mer derrière la vitre. Sur le seuil les hôteliers agiteront la main. A Port-Manech, à Morgat, à Perros-Guirec, au Trez-hir les plages paraîtront plus vastes, la mer plus froide, et les salles de bal où pendront encore des guirlandes, si tristes et si nues que les derniers estivants — après avoir poussé la porte, et jeté un coup d'œil sur la piste bordée de chaises, et l'estrade où les musiciens indifférents joueront les rengaines de la saison passée — se retireront, Dans les salles à manger, il n'y aura plus que des bruits rares, clairsemés, pareils à ceux que l'on entend dans les cliniques : un choc de verre ou de fourchette, un chuchotement lointain, le roulement d'un chariot. Les jours déclineront, il n'y aura plus de bains ni de fleurs, et il n'y aura pas de lettre.

Un matin, une pluie aussi légère qu'un brouillard, invisible et presque immobile, fumera devant la fenêtre d'Olivier, obscurcissant le ciel, rendant la lande au loin unie, évaporable. Comme chaque matin, il avalera sans le sucrer son café brûlant, allumera aussitôt une cigarette et se mettra à marcher de long en large, heurtant parfois du pied un carreau descellé — et tressaillant.

— Eh bien! Ça n'a pas l'air d'aller mieux, ce matin. Berthe vient d'entrer sans bruit, en chaussons fourrés, étouffant un bâillement du dos de la main, la face blanche et bouffie. Elle s'assied, se beurre une tartine.

— Toujours pas de nouvelles d'eux? Assieds-toi donc, Olivier! tu me donnes le tournis. C'est tout de même fort de café. On sait qu'Anne est une petite étourdie sans cœur — mais Pierre! Je n'arrive pas à comprendre comment un garçon aussi bien élevé a pu se conduire comme ça. Quand je pense qu'il a déjeuné ici tous les jours et qu'il n'a même pas envoyé un mot à maman.

Elle se tait. La moitié de la tartine disparaît dans sa bouche. Arpentant la cuisine, il écoute son bavardage avec indifférence, mais le bruit du pain grillé craquant sous ses dents (elle l'engloutit avec une bonne santé, sans doute décuplée par le spectacle de son inquiétude), met soudain les nerfs d'Olivier à vif. Il se retourne; le fourneau siffle; le carrelage est rouge.

— Mais c'est toi qui es partie sans lui dire au revoir. Il paraît que tu es sortie de chez François par la fenêtre.

Berthe devient écarlate.

— C'est Anne qui t'a dit ça ?

— C'est la fenêtre. Elle était ouverte.

Elle repose le bout dentelé de sa tartine. Olivier hausse les épaules et sort.

Il fait quelques pas derrière le manoir. Alors, à plusieurs reprises, quelqu'un l'appelle. « Olivier ? Olivier... ? » C'est la voix attendrie, ironique et chantante, dont on appelle un enfant qui se cache mal et que l'on feint de ne pas voir. Debout sur le perron, Berthe tient une lettre à la main.

— Elle s'est tout de même décidée... Il y en a une aussi pour maman : moi je n'ai rien naturellement. » Les mains écartées, elle scrute l'enveloppe. « Bizarre que cela vienne de Marseille.. Que fait-elle à Marseille ?

Olivier lui arrache la lettre, court l'ouvrir dans sa chambre : « ...J'ai épousé Pierre à notre retour d'Espagne. Il m'a dit qu'il t'avait prévenu la veille de notre départ. Je crois que c'était pour lui une question de vie ou de mort. N'est-ce pas ? Tu le connais mieux que moi. Maintenant nous devons absolument partir pour Beyrouth, sans même revenir vous embrasser. Mais qui sait si tu le souhaitais ? Ton jeu est si varié... Je ne veux plus penser à ces vacances. »

Maintenant, il est assis à cette petite table ronde autour de laquelle il a tourné toute une nuit ; mais sa fenêtre est ouverte, le ciel éclatant, le jardin refleuri. Il écrit :

« Chère Anne,

J'ai été si désolé d'apprendre que tu ne pourrais décidément venir en France pour ces vacances, que j'ai pensé moi-même à ne pas revenir en Bretagne. Mais maman, dont c'est sans doute le dernier été (elle l'assure en tout cas), m'a supplié de les y accompagner, elle et Berthe. J'ai revu François; lui non plus n'a jamais reçu de nouvelles de Nicolas. Je l'évite d'ailleurs autant que je puis, comme j'évite ici tout ce qui me parle de toi. A Paris mon travail et quelques visages m'absorbent. Mais ici je suis seul, et depuis si longtemps j'ai pris l'habitude de confondre ton nom, ta voix, ton visage, avec ceux de ma solitude... »

« Cher Olivier. Depuis la mort de cette pauvre maman... » « Chère Anne. C'est stupide de la part de Pierre d'avoir accepté ce poste à Madagascar. S'est-il réconcilié avec son père ? Pourquoi ne m'écrit-il pas... ? » « Décidément, Olivier, il faut des occasions exceptionnelles pour nous revoir. J'ai hâte de connaître ta... » Et tout à coup, très rarement, une lettre sincère, déchirante : « Pierre vieillit. Il a pris son fils en grippe et lui répète toute la journée qu'il est bête, qu'il ne fera jamais rien. Il a des accès de dépression qui durent plusieurs jours et pendant lesquels il m'adresse à peine la parole. Est-ce le climat de Grenoble, ou l'échec récent de sa nomination ? J'ai peur d'avoir raté ma vie. Olivier. Tu te souviens des mouettes du Guilvinec ? Et des bains de fougères ? Et de nos dernières vacances ? Dis-moi que ce n'est pas fini, que nous n'avons pas vieilli, que nous nous aimons comme autrefois, qu'il y aura autre chose... »

Olivier lève la tête. Alors, à plusieurs reprises, quelqu'un l'appelle. « Olivier ? Olivier... ? » C'est une voix attendrie, ironique et chantante, comme on appelle un enfant qui se cache mal et que l'on feint de ne pas voir. Le soleil est encore haut dans le ciel — qu'importe! Il est resté si longtemps assis au bord de la falaise — cette falaise d'où Anne est tombée dans son rêve — qu'une de ses jambes engourdies boite lorsqu'il se lève. La tête lui tourne, il est las. Il est vrai qu'il n'a pas dormi, ni mangé depuis la veille : le goût des petits fours à la vanille et du punch de François sont encore sur son palais. A quoi bon tant de lettres ?

Olivier tourne la tête : là-bas, le long de la colline, monte la procession du Pardon de Portsaint. Le prêtre ouvre le cortège, en surplis blanc ; deux hommes tiennent les montants du dais qui l'abrite. Un enfant de chœur porte à bout de bras une haute croix qui oscille et renvoie des reflets de soleil. Des femmes en coiffe blanche, en longues robes de velours noir, des hommes presque tous vêtus de noir, montent en chantant. Le chant est intense, lointain, intense, lointain, à la grâce du vent. Peu avant le sommet de la colline, le Pardon de Portsaint disparaît derrière des arbres. Olivier marche vers le bord de la falaise. En bas la marée montante recouvre à chaque vague les rochers. Se peut-il que cette mer si pure, si lissée, lassée de soleil — cette mer tant aimée... ?

IMP. BUSSIÈRE À SAINT-AMAND (12-87)
D.L. 1er TRIM. 1980. No 5413-4 (2827)

Collection Points

SÉRIE ROMAN

Collection Points